沖縄　日本　アジア　世界

内なる民主主義２６

又吉康隆

目次

孔子廟憲法裁判テルさん完全勝訴

最高裁判決　テルさん完全勝訴

２０２１年２月２４日、那覇市松山公園の「孔子廟（びょう）」の無料賃貸は政教分離に対して最高裁は政教分離に違反しないとは言えないという判決を下した。二重否定は肯定である。孔子廟は政教分離に違反するということだ。最高裁は久米崇聖会に今までの使用料として５７６万７２００円を那覇市に支払うように命じた。

最高裁大法廷判決は儒教そのものが宗教かどうかを問題にしたのではなく、儒教の開祖・孔子を崇（あが）める孔子廟に公有地を無償で使わせた行為が、憲法の政教分離に反するか否かを問題にした。

最高裁判決文１

国または地方公共団体が一般的には宗教的施設としてその性格を有する施設であっても同時に歴史的、文化財的な建造物として保護の対象となるものであったり、観光施設、国際親善、地域の親睦の場などの他の意義を有していたりすることも少なくなく、それらの文化的あるいは社会的な価値や意義に着目して当該免除されることもありうる。

これらの事情のいかんは、当該免除が、一般人の目から見て特定の宗教に対する援助などと評価されるか否かに影響されるものと考えられるから、政教分離原則との関係を考えるに当たっても、重要な考慮要素とされるべきものといえる。

「最高裁判決文」

孔子廟が文化財の価値があったり観光施設など、文化、社会的な価値がある施設であれば政教分離に違反していないから那覇市の無料賃貸は合法であると最高裁は述べている。最高裁は政教分離の判断は「一般人の目から見て特定の宗教に対する援助などと評価されるか否かに影響される」と述べている。

原告である金城テルさんは那覇市の一般市民の立場からの孔子廟に感じたことを最高裁に提出した。

テルさんの弁論書

①　私は今年の三月で九十三歳になります。平成二十六年に提起した時からこの裁判を戦って参りました。

私は那覇市民として、沖縄県民として、そして日本国民の一人として、久米至聖廟（孔子廟）に対して感じているところを率直に申し上げたいと思います。

② 私がはじめて釋奠祭禮(せきてんさいれい)のことを知ったのは久米崇聖会がホームページに挙げている動画を見た時のことでした。

黒い礼服を着た祭司たちが出てくると、「至聖門」が開かれ、そこから中には入ってこられる孔子様の御霊をお迎えし、お線香をあげ、ろうそくを灯し、お供物を揚げ、お像の前で、中国式の独特の礼法を繰り返し、やがて提灯を持って、孔子様の御霊をお送りし、「至聖門」を閉め、提灯の灯を消して終わるのです。

見終わった時、「これは宗教」だと直感致しました。

平成二十六年九月、実際の釋奠祭禮をこの目で見ましたが、その思いはますます強くなりました。エイサーやハーリーと同じ沖縄の習俗だという意見がありますが、それは間違っています。

釋奠祭禮は長い間、久米三十六姓(クニンダチュ)の儀式として伝えられてきたものであって、沖縄の一般市民にとっては全くなじみのないものでした。

③ 久米至聖廟の移設に伴って行われたセンザウガンの動画も久米至聖会のホームページの動画で見ました。

紳義による拝みを移した動画でした。

それがユタかノロなのかはわかりませんが、神霊的な力を持った霊媒師による拝みや占いは今でも沖縄ではよく見られます。そして、そのこともまた、私の「これは宗教だ」という思いを強くしたのでした。

④ 久米至聖廟の前では、御座や座布団を敷いて座り込んで、一心不乱に祈りを捧げる方々をよく見かけます。中国や台湾の方々のようですが、熱心な礼拝から久米公子廟にかかわる儒教の信者さん達に間違いがないように思えます。

⑤ 今は、もうなくなりましたが、以前は「学業成就」の御礼が販売されていました。

ありがたい「灰」が封入され、御利益があるというふれこみでした。それは、そのことを有難く思う信者が多数いるという証拠です。

⑥ 私が釋奠祭禮や久米孔子廟を宗教だと感じている理由の概略は以上の通りです。菅原道真を奉る天満宮とどこが違うのでしょうか。

こうした施設を公園に設置し、使用料を全額免除することが特定の宗教に対する援助になることは当たり前のことです。

多くの那覇市民、沖縄県民、日本国民は、私と同じように感じるはずです。

最高裁判所の裁判官におかれましては、「一般人の評価」を量る上で今、私が申し上げたことを充分にご配慮いただきますように心からお願いします。
令和三年一月十六日
金城照子(テルは戸籍上は照子)

テルさんの一般の那覇市民としての孔子廟に対しての気持ちは最高裁の判定の参考になった。

最高裁は孔子廟についてあらゆる面から考察していくと、孔子廟が宗教施設であるとの結論に達した。

最高裁判決文2

本体施設で行われる釋奠祭禮は、その内容が供物を並べて孔子の霊を迎え、上香、呪文奉読等をした後にこれを送り返すというものであることに鑑みると、思想家である孔子を歴史上の偉大な人物としては顕彰することにとどまらず、その霊の存在を前提として、これを崇め奉るという宗教的意義を有する儀式というほかはない。また、参加人は釋奠祭禮の観光ショー化などを許容しない姿勢を示しており、釋奠祭禮が主に観光振興等の世俗的な目的に基づいて行われるなどの事情もうかがわれない。そして、参加人の説明によれば、至聖門の中央の扉は、孔子の霊を迎えるために1年に1度、釋奠祭禮の日にのみ開かれるものであり、孔子の霊は、御庭空間の中央を進み、大成殿の正面階段の中央部分に設けられた石龍階を超えて大成殿へ上るというのであるから、本件施設の建物等は、上記のような宗教的意義を有する儀式であるから、本件施設の建物などは、上記のような宗教的意義を有する儀式である釋奠祭禮を実施するという目的に従って配置されたものであるということができる。

「最高裁判決文」


孔子廟裁判は論語が学問か宗教かで争われたのではない。孔子廟で宗教儀式を行っているか否かを争ったのである。

憲法違反の城間那覇市長は辞職するべき

最高裁は孔子廟の土地無償貸与は政教分離に違反すると判決した。最終決定である。「孔子廟」への土地無償提供は違憲であることが決定した。無償貸与した那覇市長は憲法に違反する行為をしたのである。この事実をごまかすことはできない。

城間那覇市長は記者会見で、「市として改善すべき点がどこにあるのか詳細を見極めたい」と述べた。

最高裁判決は、

・孔子廟に無償賃貸したのは憲法違反である。

・久米崇聖会は賃貸料570万を支払え。

の二点である。改善云々の問題ではない。

城間市長がしなければならないのは判決の詳細を見極めることではなく、久米崇聖会に謝罪し、辞職することである。

○城間市長は久米崇聖会に謝罪するべき

孔子廟が政教分離に違反するか否かは政治家である那覇市長が判断しなければならなかった。民間である久米崇聖会が判断できるものではない。那覇市長が政教分離に違反しないと判断したことを信じたから久米崇聖会は松山公園に孔子廟を設立した。憲法違反の責任は全て那覇市長にある。城間市長は「詳細を見極める」云々より最初に多大な損害を与えてしまった久米崇聖会に謝罪するべきである。

○城間市長は辞職するべき

地裁、高裁で憲法違反の判決は下った。しかし、城間市長は最高裁に上告したのである。城間市長が政教分離に違反していることを認めて上告しなければ最高裁の判決はなかった。最高裁判決の責任は全て城間市長にある。

上告した城間市長は憲法違反をしたのである。最高裁の判決に納得していない城間市長は「個人的な感想だが、多少違和感がある」と記者団に話した。最高裁をバカにした発言である。「個人的」といっても城間氏は那覇市長である。那覇市の行政の長である。議会は法律をつくる。行政は法律に則って政治を行う。行政こそが法律を遵守する義務があり、違法行為は許されない。

最高裁の判決は那覇市長にとって絶対的なもので

あり、「違和感」を持つというのは最高裁の権威を見下すものである。日本は三権分立国家である。憲法に違反するか否かを判断するのは司法の裁判所である。地方自治体の那覇市長が最高裁の判決に「違和感を持つ」のは三権分立を見下すものであり、許されるものではない。

城間市長は国語教師から教頭、校長、那覇市教育長を経て那覇市副市長となり、２０１４年に那覇市長になった。

国語教師をしていた時に、孔子の教えを教科書で学んだ経験があり、憲法違反としたのは祭礼であるのか、それとも子どもたちに教えている場面であるのか、「どの部分を捉えてなのか」とけげんそうな様子を見せたという。城間市長には呆れる。

地裁判決で政教分離に違反している根拠は釋奠祭禮にあると述べている。高裁も同じである。そして、最高裁も同じである。政教分離に違反している根拠は祭礼にあることは地裁から一貫している。孔子廟が教育をしているだけの場所であったなら政教分離に違反することはなかった。

釋奠祭禮が宗教的儀式ではなく教育であると裁判官を納得させる確信があれば控訴、上告をしてもよかったが、確信がなければ控訴、上告をするべきではなかった。初めから敗北するのが決まっていた控訴、上告であった。

那覇市が政教分離の憲法違反をしたという不名誉な判決は歴史に残る。

孔子廟設立を許可したのは翁長雄志前知事が市長の時であったが、２０１８年に地裁判決があった時は城間市長になっていた。

那覇地裁の剱持淳子裁判長は釋奠祭禮の祭儀をする久米孔子廟について「宗教的性格を色濃く有する」としたうえで「市が特定の宗教を援助していると評価されてもやむをえない」ことから政教分離の原則に違反すると判断し、市が使用料を請求しないのは違法だと結論付けた。

城間市長が地裁判決を受け入れて控訴しなかったら自らの非を認めたとして那覇市が不名誉の烙印を押されることはなかっただろう。しかし、城間市長は控訴、上告をした。そして、負けた。

城間市長の行為は久米崇聖会に多大な損害を与え、那覇市には歴史に残る不名誉な烙印が押された。城間社長がやるべきは久米崇聖会に謝罪し、那覇市長を辞職することである。

ミャンマー軍事クーデターを知った時、武器を持たない市民が民主主義政権を勝ち取るのは非常に困難であることを痛切に感じた。

　タイは選挙制度になったが政権は混迷し２０１４年に軍事クーデターが起こり軍事政権になった。２０１９年に民政移管し、総選挙が行われたが、軍政を率いたプラユット首相が続投している。

ミャンマー民主主義の闘い

　最大与党の党首は文民から別の元陸軍司令官に交代した。実質的には軍政が続いている。ロシアは選挙制度になったが元ＫＧＢのプーチンが大統領・首相・大統領と２０年も政権を握っている。プーチン反対派の政治家は暗殺されたり、毒殺されようとしたりして弾圧され、実質的にプーチン独裁が続いている。武器も権力組織もない市民が民主主義を勝ち取るのは非常に困難である。

　軍人は少数であるが武器を所有している。一つの銃が１０００人を従わせる。選挙で権力を握れなかったから銃で権力を握ろうとするミャンマー国軍。銃を持たない市民が国軍と闘い、勝ち、民主主義を勝ち取るのは非常に困難である。困難な闘いをしているミャンマー国民。ミャンマーは軍事独裁国家になるのだろうか。いや、ならない。ほとんどの国民が反軍クーデターデモに参加している。２０１５年の総選挙ではＮＬＤが圧勝し、スー・チー氏は国家顧問兼外相として事実上の国家トップに就いた。ＮＬＤ政権下でミャンマーの民主化が大きく前進した。日本企業などの進出で経済は発展し、生活は豊かになった。同時に表現の自由、行動の自由を謳歌できるようになった。ミャンマー国民に軍事政権で失っていた笑顔が戻った。ミャンマー国民は民主主義の素晴らしさを体験した。だから、２０年総選挙で圧勝したのである。

　民主主義を体験したミャンマー国民が国軍に屈することはないだろう。ミャンマー国民はきっと勝つ。勝って民主主義を取り戻す。

2月24日

ミャンマー軍事クーデターを跳ね返せ　真の民主主義を実現するために

　ミャンマーで軍事クーデターが起こった。クーデターによる拘束者は、スー・チー氏とウィン・ミン大統領や国民民主連盟（ＮＬＤ）関係者ら数百人に及ぶ。ミャンマー国軍は２日未明までに、アウン・サン・スー・チー国家顧問兼外相ら２４人を解任し、新たに１１人を任命したという。

　ミャンマーの議会は軍人議席が４分の１を占めている。憲法改正には４分の３の賛成が必要である。だから軍に有利な憲法は改正できないようになっている。安全保障分野の３閣僚の指名権も国軍トップが持っている。

　軍部は選挙で４分の１の議席を確保すれば過半数になる。軍部に断然有利な議会システムである。ミャンマーが本当の議会制民主主義になるのはまだまだ先のことであると思っていた。軍部に有利な国家体制だから軍事クーデターが起こるとは思っていなかった。しかし、起こった。不思議に思ってミャンマーのニュースを調べていった。すると軍部が恐れるほどにミャンマー国民の民主主義への思いが非常に強いことを知った。

　市民はクーデター後、自宅や路上で鍋などの金物をたたきながら、控えめに抗議を始めた。抗議は徐々に激しくなり，６日には最大都市ヤンゴンの中心部をシュプレヒコールを上げて行進。デモは７日も続いた。当局は情報網を断ち切って抗議行動を抑え込もうとインターネットを遮断したが、デモは第２の都市マンダレーや首都ネピドーにも波及し、市民の抵抗は大きなうねりとなっていった。参加者は最大都市ヤンゴンと第２の都市マンダレーだけで数十万人に上り、大規模デモは４日連続となった。

　立ち上がったのは市民だけではなかった。公務員らが職場を放棄する「不服従運動」で市民運動と連帯した。最大都市ヤンゴンでは「我々は全員が不服従運動の参加者だ」「平和的な抗議活動への暴力をやめろ」といった横断幕を掲げ、自ら公務員であることを明かす人たちもいた。役所の公務員だけではない。公立病院の医療関係者らも不服従運動に参加した。不服従運動は省庁にも広がった。国軍トップのミン・アウン・フライン最高司令官が仕事に戻るよう警告したが、多くの公務員がデモに参加した。

不服従運動医療従事者を中心に始まった不服従運動は、鉄道や教育機関など幅広い分野に拡大した。金融機関にもストライキが広がり、大手銀行の支店が閉鎖した結果、現金不足に陥る企業が出ている。

医療従事者のストの影響で、国内で休業状態の病院は１００カ所以上に達した。ＰＣＲ検査は減り、ワクチン接種への影響も懸念されている。

国の電力・エネルギー省は約６割の職員が出勤をとりやめたとの報道があり、不服従運動は中央官庁にも広がっている。

公務員が反国軍クーデターに参加している意義は大きい。国軍クーデターは国を麻痺状態にするだけであり国軍が国を支配することは不可能であることを意味している。

国軍トップのミン・アウン・フライン総司令官はテレビ演説で「国と国民の利益のために職務に復帰するよう求める」と呼びかけたが効果は出ていない。軍権力の弱体化である。

軍のクーデターではっきりしたのはほとんどのミャンマー国民が軍を嫌い民主主義を目指していることである。

一部警察官にも参加の動きが出ているという。兵士にもデモ参加者が出てくるだろう。これこそが民主主義革命である。ミャンマー軍の権力はなくなり、議会制民主主義の国になるのは近い。

ガンバレ　ミャンマー国民。

ミャンマーデモ隊の「天使」に銃弾　ダンス好きの19歳

第2の都市マンダレーでは、銃撃によってデモ隊の女性（19）が死亡。「エンゼル」（天使）という愛称で、歌とダンスが趣味だった「普通の若い女性」の死に悲しみが広がっている。

「明るく、優しい心を持っていた女の子だった。悲しいという言葉だけでは言い表せない」

おしゃれ好きの「どこにでもいる若い女性」だったという。

自身初の国政選挙となった昨年11月の総選挙では、アウン・サン・スー・チー氏率いる国民民主連盟（NLD）候補に投票した。政治参加を誇りに思っており、投票日には「投票済み」を示す紫色のインクが付いた指にキスする写真を会員制交流サイト（SNS）に投稿していた。

クーデターで選挙結果を覆した国軍への怒りはやまず、抗議活動の陣頭に立った。

チェ・センさんは「逃げてはだめだ」「身を伏せて」と参加者に声を掛けながら、国軍を批判する声を上げていた。だが、治安部隊は最前線のチェ・センさんに催涙弾を浴びせ、頭部に向けて銃弾を発射した。

死亡時に来ていたTシャツに書かれた「すべて、うまくいく」という言葉は、デモ隊の合言葉として広がっている。チェ・センさんは「(撃たれて)重体になったなら、生命維持は不要です」と記したメモを携帯し、万が一の際には臓器提供の意思を示していた。

ミャンマーの若者たちは死を覚悟してデモに参加している。親たちは「命が危ないからデモに参加しないで」とは言わない。親たちはデモに参加する我が子を誇りに思っている。

若者グループのリーダーの女性ティンザー・シュンレー・イさんは「これは何十年にもわたって市民を虐げてきた軍に対抗する最後の闘いです。単なるクーデターへの抗議ではなく革命のようなものなのです」と抗議活動を続けていく意志を強調した。

軍事政権の5年前までのミャンマーは貧しく、人身売買が普通に行われていた。子供だけでなく成人の女性も売られて中国人の妻にさせられていた。自由のない奴隷妻であった。

NLD政権になって自由と経済発展を体験したミャンマー国民の「軍事政権には絶対に戻さない」という信念は強固だ。命をかけた民主主義の闘いが展開されている。ミャンマーの闘いは民主主義革命である。

3月20日

ミャンマー　中国資本の工場を破壊した理由

国軍のクーデターに対する抗議デモが続くミャンマーで、最大都市ヤンゴン郊外の工業地ラインタヤ地区にある計37の中国資本の縫製工場が何者かに襲撃・放火され、多数の負傷者が出た。国軍のクーデターに対する抗議デモを展開しているミャンマーの国民が国軍の建物ではない中国の工場だけを狙って破壊した。

現地の韓国人会は、韓国系工場に対し、中国系工場と間違われないよう、韓国国旗を掲げたりするよう提案しているという。台湾メディアの中央社や聯合報によると、ラインタヤ地区での複数の工場に対する襲撃で、台湾の靴工場「昌億」も被害を受けた。現地では台湾企業であることを示すため、ミャンマー語で、「ここは台湾企業。私たちは長期にわたり、ミャンマーを思いやるとともに雇用の機会を提供してきた」と書かれたのを貼り出すところもあるという。台湾企業の関係者は「台湾の企業であることを強調したいが、火炎瓶が投げられれば、工場の国籍に関係なく影響が及ぶことになる」などと話しているという。

現地の韓国人と台湾人は中国工場だけを破壊している原因を知っている。だから、韓国、台湾の工場であることを破壊者に伝える努力をしている。

「中国の国営工場はミャンマーに必要ない。ミャンマーから出ていけ」

ミャンマー国民の気持ちが工場破壊をさせたのだ。

中国は資本を投資するだけではない。労働者も派遣する。中国の工場の労働者は中国人なのだ。他の国々は資本を投資して、工場の労働者はミャンマー国民を雇用する。そうすることによってミャンマー国民の労働の場が増え、給料をもらい生活が豊かになる。外国資本の進出はミャンマー国民の経済を発展させるから国民は歓迎する。しかし、中国資本だけは違う。ミャンマー国民にとってなんのメリットもない。

軍事政権の5年前までは、中国は女性を買って奴隷妻にしたり、子供を買っていた。ミャンマー人は中国を嫌っている。中国の工場を破壊したのはミャンマー国民の長年にわたる中国への恨みからだ。

亀甲墓が並んでいる。左側にはセメントの墓がある。亀甲墓の上は車道になっていて、車道の側に亀甲墓とセメントの墓が並んでいる。そして、墓の上の方には住宅がある。

亀甲墓は崖のような傾斜地に建設する。だから亀甲墓には後方の壁はない。沖縄は石灰岩の島なので傾斜地が崩れ落ちることはない。

私の祖父は沖縄戦の時に死んだ。山の傾斜地に穴を掘って骨を入れ石でふさいで墓にした。

崖に沿って建設するので墓は横並びになっている。墓をつくる場所は限定される。

左側のセメントの墓は後ろの壁があるから平地であろうが傾斜地であろうが自由に建設できる。戦前の沖縄は寺がないし、亀甲墓だったので墓が集合する墓地はなかった。戦後はどこでも墓が建設できるようになったので墓地ができた。

昔はあんなところに家はなかった。水脈がないので井戸がつくれなかったからだ。水道が登場して水脈のない場所でも水道を引いて住宅を建設するようになっ。だから、亀甲墓、セメントの墓、住宅が隣り合い、ひとつの写真に収めることができた。

議会制民主主義国家日本を縁の下で支えているのはどんな国民か。それは保守か、それとも左翼か。いや、保守でもなければ左翼でもない。それは政治に強い関心はないノンポリの国民である。

国会で過半数の政党が政権を握る。議員は選挙で選ばれる。国民の支持が多いのが自民党である。しかし、一番多い自民党でも支持者はわずか２４％である。２４％の支持票では過半数には達しない。支持票だけでは自民党は政権党になれない。

二大政党問題

支持政党なしはなんと６０％を超える。政権を左右するのは支持政党なしのノンポリの国民ということになる。自民党が国会過半数を獲得して政権を握ってきた。ノンポリ国民の多くは自民党に投票してきたのである。民主党が圧勝した時はノンポリ国民は民主党を支持したが、政策がノンポリ国民の気に入るものではなかったから、次は自民党に投票して自民党が勝利した。

ノンポリ国民の第一は生活である。生活を豊かにしてくれそうな政党に投票する。生活を豊かにしてくれる政治を続ける政党であるなら次も投票し、そうでないなら別の政党に投票する。

議会制民主主義になった戦後７５年間は支持政党なしの国民が国の政治を左右してきた。いわゆる戦後の政治はノンポリ国民が左右してきたと言っても過言ではない。

立憲民主党は国民民主党、社民党と合流して拡大し、自民党に勝って与党になることを目指しているが、それでは勝てない。自民党に勝つにはノンポリ国民が望んでいることを研究し、自民党よりもノンポリ国民に支持される政策を打ち出さなければならない。

反自民党では自民党に勝てない。自民党より優れた政策を出すことによって勝てる。それには立憲民主党は国民民主、維新の会、共産党の大野党連合を目指すべきだ。４党の大同団結なら与党になれる。特に国民民主、維新の会と団結しないことには与党になれる可能性はない。二大政党をつくれない原因の第一は共産党にある。第二は立憲民主の左翼にある。

2月16日

日本が二大政党にならない原因その1　共産党4

日本が二大政党にならない大きな原因は共産党にある。そのことが沖縄で明らかになった。

沖縄県は左翼が強く、昔から保守と左翼は五分五分であり、知事選は保守と左翼が交互に当選していた。復帰後に最初に行われた知事選では左翼系の屋良朝苗氏が当選した。その後も保守系と左翼系の知事が交互に当選していたが、太田知事以後は稲嶺知事8年、仲井真知事8年と16年間自民党の知事が続いた。左翼の勢力は衰退していた。

2014年の県知事選でも左翼単独では勝てない状況だった。左翼政党は高良鉄美琉球大学法科大学院教授を立候補させようとしていたが、自民党を離党した翁長雄志氏が左翼に共闘を申し入れた。単独では当選させることができない左翼政党は翁長氏の申し入れを受け入れた。保守と左翼の合同の「オール沖縄」を結成し、翁長氏は県知事選で圧勝した。保守と左翼の合同であるオール沖縄を県民は歓迎したということである。オール沖縄は衆議院選挙も圧勝し、飛ぶ鳥を落とす勢いであった。そのまま保守と左翼が妥協と協力関係を維持していけば沖縄はオール沖縄の天下が続いていただろう。しかし、オール沖縄は内部対立が起こり、左翼と保守の分裂が起きた。分裂の中心にいたのが共産党である。共産党の強引な保守潰し工作が逆に左翼を弱体化していった。弱体化が表面化したのが次の3点ある。

1、宮古島市長選でオール沖縄側立候補が自衛隊配備を容認した。

保守と左翼の連合であるオール沖縄は知事選、県議選、衆議院選で勝った。逆に言えば左翼単独であるなら勝てなかっただろうということである。社民党と社大党はそのことを重視していたから選挙に勝つために保守と妥協するようになった。それが宮古市長選で表れた。

2017年の宮古島市長選でオール沖縄が選んだのは自衛隊配備を容認する立候補だった。左翼政党は自衛隊配備に反対であった。しかし、オール沖縄に参加した社民党、社大党は保守と妥協して自衛隊配備を容認する立候補者を選んだのである。選挙に勝つために自衛隊配備を容認したのである。しかし、共産党は違った。自衛隊配備反対を貫き、オール沖縄で決めた候補者を認めなかった。共産党は自衛隊配備反対する独自の候補を立てた。そして、共産党の言いなりになっていた翁長知事に応援させた。オール沖縄は宮古島市長選で共産党と社民、社大、保守のグループが分裂したのである。一人に絞っていれば宮古島市長選はオール沖縄が勝っていただろう。しかし、共産党が反自衛隊に固執したために宮古島市長選は敗北したのである。

４年後の宮古島市長選では自衛隊配備容認がオール沖縄の立候補者になった。この立候補者はオール沖縄が推薦した候補者ではなく、現市長と対立する保守が推薦した候補者だった。オール沖縄は立候補を決める前に保守に負けていたのだ。オール沖縄推薦の候補者が勝利した。

２、県議会選挙で与党が過半数を確保したが与党内の保守の一部が自民党と協力関係になり、県会議長、副議長の座を左翼から奪った。

翁長前知事が死去したのでオール沖縄は翁長知事の後継者を３人に絞っていた。ところが翁長知事の遺言テープがあり、テープには玉城デニー氏を後継者とするように録音されていると新里県会議長が公表した。テープは公開されず、テープの存在が疑われたが、録音している現場に謝花副知事が居たと言ったことによって一件落着し、デニー氏が知事選に立候補して大勝した。しかし、公開しなかったテープ遺言によるデニー氏推薦は遺恨を残した。遺恨は県議会与党を分裂させ、左翼政党の勢力を弱体化させた。

県議会の議長選で、与党の保守系おきなわの赤嶺昇議員が野党の自民党と組んで与党推薦の候補を破り当選した。

赤嶺議員はオール沖縄で知事選候補を選出した時に三人の候補の一人であった。赤嶺議員は知事選立候補に選ばれることに情熱を燃やしていた。しかし、オール沖縄が正式な手続きで三人の候補者まで絞っていたのに、それを無視して実在するかしないかが明確ではない遺言テープによってデニー氏が知事選立候補者に決まった。赤嶺議員は左翼の独裁的なやり方に反発していた。「・・・左翼は信頼できない・・・」の思いが募っただろう。だから、与党の左翼政党ではなく野党の自民党と共闘したのである。副機長も自民党候補が共産党候補を破った。議長、副議長を野党自民党が制したのである。

3、浦添市長選で那覇軍港の浦添移設賛成の自民党推薦の立候補が反対の共産党員の立候補に大勝した。

那覇軍港の浦添市移設に共産党、社民党、社大党は反対だったがデニー知事は賛成だった。与党でありながらデニー知事の方針と対立していた。県議会でデニー知事の浦添移設容認を支持する議案に与党の保守系おきなわと野党の自民党が賛成して過半数になり、県議会で那覇軍港の浦添移設に賛成した。

那覇軍港の浦添移設にデニー知事、城間那覇市長、県議会が賛成した。デニー知事を支持するオール沖縄は浦添市長選の立候補者を出すことができなくなっていた。浦添移設に反対であるが反対の候補者を出せばデニー知事と対立してしまう。そのためにオール沖縄で候補者が出せない状況だった。ところが唯一共産党だけは違った。浦添移設反対の候補者を出したのである。共産党は共産党員である浦添市議員の伊礼悠記氏を立候補させた。

共産党が最優先するのは当選するか否かではないし、デニー知事と政策を一致させることでもない。反米軍イデオロギーに徹底することである。伊礼候補は共産党員として立候補しようとしたが、社民、社大が共産党として立候補するなら応援しないと忠告したので無所属で立候補した。

二度の宮古市長選で見られたように社民、社大は保守と妥協して自衛隊を容認するが共産党は自衛隊、米軍に対しては反対に徹している。だから浦添市長選で社民、社大が浦添移設反対の候補者を立てることができなかったのに共産党は党員を立候補に立てたのである。共産党にとって知事と方針が同じであるか否か、選挙に勝つか負けるかは二の次であり、共産党イデオロギーに徹するか否かが第一である。伊礼候補は大敗した。

1、2、3を見れば社民、社大と共産党は根本的に違うことが分かる。社民、社大は選挙で勝つことを優先し、保守との妥協もするが共産党は選挙で勝つことよりもイデオロギーを優先する。そうであるがゆえに選挙に弱い。そのことが実証されたのである。

翁長前知事が左翼政党と共闘したのは県知事選に勝つのが目的だった。選挙に勝つためのオール沖縄結成であった。オール沖縄結成は翁長氏が選挙に勝つための結成であり、選挙がなければ結成はしなかった。共産党も知事選に勝つために共闘したが、共産党にとって選挙に勝つことよりも反米・反自民イデオロギーに徹するの最優先である。それが社民党、社大党と違う。

共産党は徹底した反自民である。自民案に賛成した維新の会毛を第二自民党と決めつけ、国民民主が自民案に賛成した時も第二自民党と非難した。翁長知事の腹心中の腹心であった安慶田副知事は安倍政権と繋がっていたので策略で排除された。安慶田副知事の代わりに就任したのは翁長知事とは何のつながりもない元国際大学長であった。もう一人の副知事である浦崎唯昭も退任し知事公室長の謝花喜一郎氏が副知事になった。浦崎氏は自民党であり翁長知事とは旧知であったが左翼の謝花に代わったのである。

共産党の翁長知事と自民党を断絶させる策略は成功した。しかし、そのことが県議会選挙で裏目に出た。副知事を退任させせられた安慶田氏は自民党を応援して議席増に大きく貢献した。

新里議長と謝花副知事によって県知事選立候補から外された赤嶺議員は野党の自民党と組んで県会議長になり、副議長も自民党候補が共産党候補を破った。議長、副議長が反共産党になったのである。

オール沖縄を内部分裂させ弱体化させたのが共産党である。日本が二大政党になれない原因の一つに共産党イデオロギーがある。

2月19日

日本が二大政党にならない原因その1　共産党5　共産党は中途半端な政党

日本共産党成立と歴史をたどっていけば、共産党は革命を目指した政党ではなく革命を夢見た政党であることが分かる。

１９１５年にロシア革命が起こり、共産党一党独裁の社会主義国家が誕生した。ロシアの社会主義国家を理想の国家であると信じて結成したのが日本共産党である。日本社会の矛盾に苦しむ労働者が立ち上がり結集してつくりあげた政党ではない。ロシア革命によって理想国家が誕生したと信じた知的な人物たちが結集して立ち上げたのが日本共産党である。彼らはロシア革命によって設立したソ連は労働者、人民が解放され自由な社会になったと信じ、ソ連へあこがれたのである。

ソ連を理想の国と信じて亡命した女優がいた。映画演劇ファンを熱狂させた大女優岡田嘉子である。日中戦争開戦に伴う軍国主義の影響で、岡田嘉子の出演する映画にも表現活動の統制が行われた。プロレタリア運動に関わった共産主義者の演出家杉本良吉と激しい恋におちた嘉子は二人でソ連への亡命を決意した。１９３７年（昭和１２年）暮れの１２月２７日、二人は上野駅を出発。北海道を経て翌１９３８年（昭和１３年）１月3日、２人は厳冬の地吹雪の中、樺太国境を超えてソ連に越境した。駆落ち事件として連日新聞に報じられ日本中を驚かせた。

命がけで亡命した嘉子であったが、ソ連は彼女が予想していた国ではなかった。不法入国した二人にソ連の現実は厳しく、入国後わずか3日目で嘉子は杉本と離されGPU(後のKGB)の取調べを経て、別々の独房に入れられた。２人はその後二度と会う事はなかった。

二人はスパイとして疑われた。１９３９年、裁判が行われ、岡田は起訴事実を全面的に認め、自由剥奪１０年の刑が言い渡された。杉本は容疑を全面的に否認、無罪を主張したが、銃殺刑の判決が下された。１０月２０日、杉本は処刑された。杉本の銃殺は嘉子の晩年になってようやく明らかになった。ずっと「獄中で病死」とされていた。

日本で憧れていたソ連と現実のソ連には雲泥の差があった。この事実を日本では誰も知らなかった。日本共産党はソ連の現実を知らなかったのである。知識人の集まりである日本共産党の革命論は中途半端であった。革命とは暴力で国家を倒し、新しい体制にするということである。もし、昭和の時代に革命を起こすなら天皇だけでなく帝国議会、政府、軍部を武力で倒して共産党一党独裁国家にしなければならない。それには労働者を組織して武力闘争ができる組織をつくらなければならない。ところが共産党は暴力組織をつくるのではなく帝国議会の議員になることを目指した。議員には暴力革命を起こせない。そもそも社会主義国家は共産党一党独裁であるから選挙による議会を否定している。ソ連には議会はなかった。一党独裁を目指しているのに帝国議会の議員になるというのは暴力革命を目指していないことになる。共産主義として中途半端である。

　社会主義国家に憧れながら暴力革命を真剣に追及しなかったのが日本共産党である。社会主義国家を目指したというより社会主義国家を夢見ていたといったほうが正しい。

　戦前に社会主義国家ソ連を夢見た日本共産党は戦後には暴力革命を夢見た。

　１９５１年１０月、共産党は、武装闘争路線、暴力革命路線に転換し「軍事方針」を採択した「。この武装方針に沿って、練馬事件、白鳥事件、血のメーデー事件、火炎瓶事件など多数の武装闘争・騒乱などの非合法活動を起こした。

練馬事件、

　１９５１年１２月２６日午後１０時２０分頃、警視庁練馬警察署旭町駐在所に「行き倒れがある」との連絡があり、同所勤務の巡査（当時３３歳）が現場に向かったが、それ以来連絡が途絶えた。３時間経っても連絡が無い事を不審に思った巡査の妻が旭町駐在所から最寄の田柄駐在所に連絡し警察官と共に巡査の行方を追ったところ、翌朝7時頃に、旭町の畑道の脇で撲殺された巡査が発見された。遺体からは拳銃が奪われていた。

　警察は、同巡査が管内の製紙会社における労働争議の際に組合員の不法行為に対する検挙をおこなったことへの報復だと考え、首謀者と目された日本共産党北部地区軍事委員長（当時２６歳）や製紙会社の組合員、学生、労務者ら１１人を逮捕した。その後の調べで、首謀者の指示により他の10人が手分けして巡査をおびきだし、行き倒れを装って畑に横たわっていた1人を巡査が介抱しようとしたところに集団で襲い掛かり、古鉄管や棒杭で殴りつけ死亡させたことが判明した。東京地検は強盗致死罪、傷害致死罪、暴力行為処罰法違反で11人を起訴した。

白鳥事件

1952年1月21日夜，札幌市警察本部警備課長の白鳥一雄警部が自転車で帰宅途中，後方から自転車で追ってきた男にピストルで射殺された事件。警察は日本共産党関係者の犯行と断定して，同党札幌市委員会委員長の村上国治らを逮捕，札幌地方検察庁も55年8月，村上とほか2人を殺人の共謀共同正犯として起訴した。

暴力革命とは暴力で警察権力を倒すことである。警察全体を倒すことができなければならない。

毛沢東は大地主から土地を没収し農民に与えた。農民を解放したので農民の支持が拡大していって革命に成功した。日本共産党は毛沢東革命路線を日本で実行したつもりでいた。しかし、戦後の日本はすでに大地主制度は廃止され、土地は小作農の私有地になっていた。日本では毛沢東の農民革命はすでに終わっていたのだ。その事実を共産党は認識していなかったのである。現実認識がお粗末である。

時代遅れの武装闘争は当然のことながら国民の支持を得られなかった。毛沢東の革命時代と戦後の日本の違いを認識できなかったのが日本共産党である。毛沢東の革命に憧れ、夢見て暴力革命のつもりで子供じみた暴力事件を起こした日本共産党であった。暴力革命を諦めた日本共産党は議会制民主主義国家である日本でわけのわからない民主主義革命という新たな夢の路線を考え出した。

共産党は衆参議員選挙、全国の自治体の首長、議員選挙に多くの立候補を出している。共産党は議会で過半数確保を目指している。しかし、議会を過半数確保しても民主主義革命を達成することができないの明らはかである。

共産党の目指す民主主義革命は自民党を議会から抹殺することである。議会の過半数を制して共産党の政策を実施するのが目的であるなら「革命」をする必要はない。「革命」を入れてあるのは資本主義を容認している自民党を議会から排除する目的だからだ。しかし、議会制度では特定の政党を排除することはできない。憲法の精神に反する。議会を制することで民主主義革命ができると信じている共産党であるが、それは不可能である。夢である。

衆議員465人のうち共産党議員はわずか12人である。圧倒的に少ない。民主主義革命どころか過半数確保さえ夢のまた夢である。共産党の唱える民主主義革命は1951年の武装闘争と同じである。現実を正しく認識できないで夢を見ているだけだ。

革命は国民の支持、参加なしには実現できない。共産党も同じ考えである。選挙を通じて共産党支持者を増やしていき過半数の議席を確保すれば民主主義革命への展望が開かれると信じている。しかし、共産党以外の政党は議会制民主主義国家を認めている。民主主義革命を目指していない。民主主義国家で民主主義革命をするという理屈がおかしい。戦後の国民主権、選挙制度、三権分立で日本の民主主義革命は実現し、日本は民主主義国家になっている。だから、自由民主党、立憲民主党、国民民主党、社会民主党と「民主」を党名に入れている。入れていないのは維新の会と共産党である。維新の会は議会制民主主義を認めているから他の政党と同じである。共産党が「民主」を入れていない理由は共産党は民主主義ではなく社会主義だからである。議会制を否定しながら議会に参加している中途半端な政党が共産党である。

議会で過半数を確保するために合流と離反を繰り返すのが政党である。与党を目指している立憲民主党の枝野代表は国民党、社民党と合流した。しかし、共産党とは合流しなかった。共産党から共闘の提案をされたが共闘を避けた。共産党とは選挙協力はしても共闘はしない。共産党が社会主義イデオロギーに固執していることを知っているからだ。国会で共産党と共闘する政党はない。共産党の政策を実現するには共産党単独で過半数を確保しなければならない。夢のまた夢である。

２月２１日

日本が二大政党にならない原因その１　共産党６　社会主義こそがブルジョア独裁である

共産党の志位委員長がインターネットと通信制を活用した私立高校「N高等学校」の「政治部」特別講義に出演し、資本主義への疑問点や共産党がめざす社会主義・共産主義について説明し、日本政府の「アメリカ言いなり」「財界中心」を正す民主主義革命についてオンラインで説明した。

N高等学校は通信教育を行う区域を４７都道府県および外国とする広域の通信制の課程を置く学校である。、学校法人角川ドワンゴ学園が設置した。沖縄県うるま市伊計島に所在する。

志位委員長は資本主義を批判し、共産党が民主主義革命、社会主義、共産主義を目指していることを説明した。志位委員長が強調したのは民主主義革命、社会主義・共産主義は国民多数の合意で実現しなければならないということである。国民多数の合意なしには共産党の目指す革命は実現できないことを志位委員長は強調した。来年で創立１００年になるのに衆議員はわずか１２人である。議会制民主主義では共産党の目指す民主主義革命の国民多数の合意による実現は夢のまた夢であるというしかない。

志位院長は資本主義批判を展開した。「資本主義というシステムの矛盾がさまざまな形で噴き出している」と述べ、その矛盾のあらわれとして、貧富の格差の拡大、地球規模の環境破壊などについてくわしくのべた。志位委員長は「幸福度の観点からという質問ですが、資本主義は多くの人の不幸の上に巨大な富が築かれるシステムです」と資本主義を批判した。

共産党が資本主義を批判する根拠は資本家階級が労働者階級を搾取していることにある。搾取はマルクスの剰余価値学説で理論的に明確にしている。マルクスの理論を簡単に説明すると、労働者は労働して製品を生産する。生産された製品は値段をつけて販売するが、販売する時に値段を決めるのは資本家である。資本家は原料、工場設立費用、労賃など製品の必要経費に利益をプラスして売る。資本家は労働しないのに会社を私有している権利で収入を得るという理論である。マルクスは資本家の収入を搾取と呼んだ。

資本家の搾取による収入は莫大なものであり資本家は富む、逆に搾取される労働者は貧しくなるというのが共産党の理屈である。マルクスの剰余価値学説では剰余価値は資本家の搾取だけではなく、新規に投資する再生産価値も含めている。現在なら欠陥品を回収する費用も含まれるし、経済危機に陥った時の補填資金も含まれる。

剰余価値学説で指摘しているのは労働をしないで収入を得ることをブルジョア階級の搾取としていることである。注意しなければならないのは労働者が搾取されるのは労働時間内であることである。労働時間外は労働から解放され労働者は自由になる。労働者が搾取されるのは貨幣のみであり、人間としての自由が搾取されるのではない。議会制民主主義は資本主義であっても人間として自由で平等な民主主義の社会である。

志位委員長は資本主義が貧富の差の原因であると述べている。ブルジョア階級が富み、労働者階級が貧困になるだけでなく労働者階級の間でも貧富の差が出ると指摘しているが、労働者階級の貧富の差は搾取が原因ではない。生産力の差である。質の高い製品を大量生産する会社で働く労働者は収入が多い。売れない商品を生産している会社で働く労働者は収入が低い。共産党のいう労働者の貧富の差は企業経営の差にあるのであって資本家の搾取が原因ではない。

リーマンショックから立ち直った企業は収入が増え、その恩恵で労働者の収入も増えた。しかし、立ち直れない企業の労働者の収入は増えなかった。賃金の差が広がったのは事実である。共産党は日本の景気回復を喜ぶのではなく「貧富の差が広がった」と景気回復を非難したのである。好景気になれば国民の生活が豊かになる。しかし、好景気でも豊かになれない層の労働者がいる。貧富の差が広がる。不景気になれば多くの労働者が貧しくなる。貧富の差は縮まる。貧富の差が広がることを批判する共産党は不景気になるのを望んでいることになる。共産党の貧富の差を縮める理論は日本が貧困になる理論である。客観的に分析すればそういうことになる。

志位委員長は日本社会を人間らしい労働のルールがないと述べ、日本政府は「アメリカ言いなり」であり、「財界中心の政治」をしていると述べ共産党は「日本社会の二つのゆがみをただす」と強調している。

「アメリカの言いなり」は昔から共産党が言い続けていることである。ＴＰＰ設立を目指している時もアメリカのいいなりであると非難していた。共産党はトランプ大統領がＴＰＰから抜けるとＴＰＰのことは言わなくなった。安倍政権が中心となってＴＰＰ１１を設立した。安倍政権がアメリカの言いなりではないことが実証されたが、その事実を無視するのが共産党である。「アメリカの言いなり」と決めつつけて自民党政権を批判するのが共産党である。

自民党政権は資本主義であり財界の言いなりで「財界中心の政治」をしているというのが共産党の主張である。政府と財界は日本経済を発展させるということでは共通している。それは自民党政府だけでない。どんな政党の政府であっても経済が発展する政策をしなければならない。経済が停滞し倒産が増える政策なら国民が怒り、政府の座から引きずり下ろす。共産党が政権を握っても同じである。労働者を豊かにするには経済発展が第一である。

経済発展させたのは資本主義の米国だった。社会主義国家のソ連ではなかった。米国はどんどん経済が発展していったので貧富の差は広がったかも知れないが、ソ連は日用品さえ不足するくらいに経済は疲弊し労働者は貧しくなっていた。経済は破綻した。そして、ソ連は崩壊した。

志位委員長は、資本主義は貧富の格差や環境破壊、失業、恐慌などの矛盾があると述べ、それを解決しようと思ったら、国民多数の合意で社会主義・共産主義に進むことが必要になるというのが共産党の考えであると高校生に述べている。

日本は資本主義であり国民主権の議会制民主主義国家である。資本主義が貧富の格差を起こしても生活保障や失業保険、職業紹介、労使交渉などで貧困化や失業を防いでいる。環境破壊も抑える努力をしている。日本は資本家が支配している社会ではなく、国民主権の議会制民主主義の社会だからだ。

日本は社会主義・共産主義に進むことが必要になると志位委員長は述べたが、社会主義国家のソ連が崩壊した後には議会制民主主義に変わった。歴史は共産党一党独裁の社会主義の次に国民主権の議会制民主主義なったのである。議会制民主主義の次に社会主義になった国はひとつもない。共産党は歴史を逆行させようとしている。

マルクスは次の新しい社会はアメリカがなると予言した。予言といってもマルクスは占い師ではない。ヘ資本論を書いた哲学者である(経済学者ではない。ヘーゲル左派)。資本論を書いたマルクスの理論ではアメリカが新しい社会になるということだ。しかし、マルクスの予言を覆すようにロシア革命が起こり社会主義国家がつくられた。しかもソ連はマルクス・レーニン主義の国家である。マルクスの予言は間違ったということになる。いずれはアメリカにも革命が起き社会主義国家になると共産主義者たちは信じていた。ところがアメリカで革命は起こらないで、1991年にソ連が崩壊した。ということはマルクスの予想は正しかったということになる。

マルクスはリンカーン大統領と同じ時代の人間である(1818年―1883年)。資本論を書いたマルクスは下部構造(生産から消費の構造。広い意味の経済)が上部構造(政治、文化)を変革するという考えである。変革は10年くらいの短い期間ではなく50年100年500年の長期に渡る変革である。マルクスの理論に興味があり、時代の流れを見ていたらなんとソ連が崩壊した。社会主義社会が次の時代を築く社会ではないことを歴史が実証したのである。

資本主義経済は新しい経済であり、資本主義が一番発展しているアメリカが新しい社会になるとマルクスは予言した。マルクスの予言は正しかった。学生の頃、マルクスの予言について討論したかったが誰も相手にしてくれなかった。

志位委員長は共産主義と社会主義は同じ性質のように述べているが二つは全然違う。共産主義の目指す社会は労働者が解放されて搾取のない自由で平等な社会である。人類がまだ体験したことのない理想の社会を目指すのが共産主義である。どのような社会であるかはまだ誰も具体的に説明できていない。空想さえできていないのが共産主義社会である。

ロシア革命を起こした時にレーニンが共産主義社会へ移行する前段階として共産党一党独裁の社会主義国家をつくった。マルクスには共産党一党独裁の理論も社会主義の理論もない。マルクスの思想とは関係ないのが社会主義国家である。マルクス・レーニン主義によってソ連が設立されたように思われているが私にはマルクス抜きのレーニン主義だけで設立されたように見える。

　共産党の主張する社会主義を科学的社会主義と共産党は言っている。全然科学的ではない。もし科学的であれば共産主義と社会主義は全然違うことをマルクス流の理論で説明したはずである。しかし、説明していない。共産党はマルクス・エンゲルスの理論を科学的に理解しているのではなく宗教のように崇めているだけである。本当は理解していないのにマルクス・エンゲルスの理論の後継者を自負しているのが共産党である。

志位委員長は、

　社会主義・共産主義社会の特徴として、「各人の自由な発展が万人の自由な発展の条件であるような一つの結合社会」といったマルクス・エンゲルスの言葉を紹介。『すべての人間の自由で全面的な発展』こそ、マルクス・エンゲルスが求めた人間解放の中心的な内容であり、その最大の保障は『労働時間の短縮』にあります」

とN高校の生徒に述べている。

　マルクスは資本を私有することによって労働をしないのに利益という不当な収入を得ることを問題にしている。資本家とは企業を私有している者である。資本家と労働者の関係は仕事をしている時間だけであり仕事から離れたら関係しない。資本家と労働者の関係は労働における経済関係に限ったものである。政治の関係ではない。

　労働者の人間としての自由を奪うという理論はマルクスの資本論にはない。実はマルクスの理論で社会主義を分析すると社会主義がブルジョア独裁であることが分かる。嘘と思うだろうが本当である。

　社会主義では企業は国有である。共産党一党独裁だから共産党が企業の所有者ということになる。つまり共産党が資本家になるのが社会主義である。共産主義は労働者が解放され自由な社会を目指したものであるが、社会主義は国家が資本家になりブルジュア独裁国家になった社会である。ソ連は共産党一党独裁という名のブルジョア独裁国家だったのである。社会主義国家ではブルジョア階級が存在しなくなったように思うがそうではない。マルクスの理論では企業の私有者がブルジョア階級である。企業が存在する限り企業の所有者であるブルジョアジーは存在する。ソ連は共産党がブルジョアジーであり、労働者を搾取したのである。そして、政治も共産党が握っているから社会主義国家こそが共産党が否定するブルジョア独裁国家なのだ。労働者を搾取し、自由を奪ったのが社会主義国家のソ連であった。

資本主義国家である米国・日本では資本家の経済的な搾取はある。しかし、国民主権・議会制民主主義国家である米国・日本ではブルジョア階級が政治権力を持つことを禁じている。政治を司る政治家は国民の選挙で選ぶ。国民の中で圧倒的に多いのは労働者階級でありブルジョア階級はわずかである。それに資本家が議員になった時は企業経営から離れなければならない。資本家が政治を行うことを禁じている。政治から資本家を切り離しているのが日米国家である。

独占禁止法によって自由競争をさせ、特定の企業が強大な権力を持たないようにしている。小さな企業でも商品開発をして成功すれば大企業になれるし、大企業でも商品開発を怠れば経営が悪化し倒産する。自由市場により企業競争をするから日米経済は発展した。企業を国有にしたソ連は競争がなく企業努力をしなかったから経済は発展しなかった。ソ連崩壊の原因は社会主義であるがゆえに経済が悪化し、国民生活が困窮したからである。ソ連は恐慌に陥って崩壊したのである。

社会主義幻想の共産党はソ連が貧困状態に陥っていたがゆえに崩壊したことを解明する能力がない。マルクスは資本経済は必ず恐慌に陥るといい、その時がプロレタリア革命のチャンスであると説いた。マルクスの理論通り１９２９年にアメリカ恐慌が起こり世界に広がった。しかし、革命は起こらなかった。民主主義国家であったからだ。マルクスの恐慌になれば革命が起こるという考えははずれた。ところが社会主義国家であるソ連では恐慌が起こったために革命が起こったのである。ロシアの革命は民主主義革命であった。

ブルジョア独裁の社会主義を共産主義と同じだと幻想する共産党の民主主義革命は民主主義の日本では不可能である。時代の流れに逆行している共産党は少数政党状態がいつまでも続く。国会で過半数になることは夢のまた夢である。

沖縄の保守ＶＳ左翼革新の時代はすでに終わっている。共産党・社大党・社民党の支持率は下がり続け左翼政党だけで県知事選に勝つことはできなくなっているのが沖縄の政治状況である。ところが翁長雄志は県知事に立候補する時に自民党を離党し、左翼政党と共闘してオール沖縄を結成した。保守と左翼が共闘することによって県民の支持は高くなり、翁長氏は県知事選で勝利した。

　保守ＶＳ左翼＋保守が現在の政治状況である。

沖縄問題

　左翼政党だけでは県知事選には勝てないし、県議会で過半数を確保することもできない。保守との共闘なしには政権を握れない左翼政党である。

　共産党と社民党は反自民を徹底している政党である。根本的に保守と共闘できない。与党である共産党と社民党は米軍と自衛隊問題では徹底して反対である。しかし、与党内の保守は違う。時と場合によって賛成したり反対したりする。

　普天間飛行場の辺野古移設は反対であるが那覇軍港の浦添移設は賛成である。宮古の自衛隊基地建設にも賛成である。徹底して反対する左翼政党と保守は次第に不協和音が生じてきた。表面化したのが県議会議長選挙だった。

　去年のン議会選挙で、与党の保守である会派おきなわが野党の自民党と共闘すれば議会の過半数になる状況になった。

　与党の会派おきなわと野党の自民党が共闘して左翼候補を押さえて赤嶺昇氏が議長になった。また、那覇軍港の浦添移設でも自民党と会派おきなわは共闘して賛成議決を勝ち取った。自民党とおきなわの共闘は県議会だけでなくうるま市長選でも実現した。

　うるま市長選では無所属新人で保守の中村正人氏（５６）が当選した。支持したのは自民、公明に加え与党の会派おきなわだった。会派おきなわはデニー知事と共産、立民、社民が支持する沖縄国際大名誉教授の照屋寛之氏（６８）を支持しなかったのである。

　左翼支持の下降はこれからも続き、保守支持が上昇していくのが歴史の流れである。

1月31日

宮古市長選に見られるオール沖縄

左翼の敗北

　任期満了に伴う宮古島市長選は1月17日、投開票され、無所属新人の座喜味一幸氏（71）＝社民、社大、共産、立民推薦＝が1万5757票を獲得し、1万2975票を得た無所属現職の下地敏彦氏（75）＝自民、公明推薦＝を2782票差で破り、初当選した。

　報道は左翼政党の勝利であるように報道している。しかし、左翼政党は勝利していない。敗北している。

　4年前の市長選の時はオール沖縄は分裂した。「オール沖縄」勢力を構成する社民、社大は保守と一緒に地元の選考委員会が選出した下地氏を推薦していた。下地氏は自衛隊配備の基地建設を容認していた。自衛隊配備に徹底して反対していたのが共産党であり、共産党は下地氏ではなく自衛隊基地建設に反対する奥平氏を推薦した。オール沖縄の左翼は社民、社大と共産党が分裂したのである。翁長前知事は共産党が推薦した下地氏の選挙応援をした。

　自民党・公明党が支持した下地俊彦氏が当選した。2位は共産党、翁長前知事が支持した奥平一夫氏であり、票差はわずかに376票であった。4年前の市長選から見ればオール沖縄が候補者を一人に絞れば自衛隊基地建設反対の候補でも勝てそうな雰囲気であった。

宮古島市長選開票結果

	候補者	得票
当	下地敏彦氏	9,588票
次	奥平一夫氏	9,212票
	真栄城徳彦氏	6,545票
	下地晃氏	4,020票

◇投票総数29,614票　◇有効票29,365票
◇無効票249票　◇不受理等0票

宮古島市選管最終

　2020年の市長選が4年前の市長選と違ったのはオール沖縄は宮古島市の反下地市長派の保守と共闘したことだ。6年前の県知事選の時は

翁長前知事が自民党を離脱して左翼政党と共闘した。今年の宮古島市長選挙は6年前の県知事選と似ている。

　しかし、県知事選の時は保守の翁長側が左翼政党が主張する辺野古移設反対に賛同していたが、宮古島市長選は違った。左翼が主張する自衛隊配備反対ではなく容認だったのだ。

　左翼政党が自衛隊配備を容認することは左翼政党としての思想を否定することになる。

　左翼政党が自衛隊配備を容認したのは市長候補の選択過程に原因していた。

　座喜味氏はオール沖縄が推薦した候補者ではなかった。オール沖縄が推薦したのは宮古島市議の島尻誠氏だった。座喜味氏を推薦したのは宮古島市の保守派であった。

　宮古の「オール沖縄」勢力と、市政刷新を目指す一部保守系の市議ＯＢらは去年の１０月１４日に協議を開いた。その日は互いが提案した候補者を擁立するよう譲らず、保守系側が途中で退席し、結論は持ち越しとなった。そのままだったら保守と左翼が共闘できなかっただろう。共闘するのを優先したのがオール沖縄だった。オール沖縄側の候補者として提案した宮古島市議の島尻誠氏（５１）が１１月１７日、立候補を取りやめた。

　そのことによって保守系の市議ＯＢらが統一候補者として推薦した前県議の座喜味一幸氏を擁立することが決まった。

　宮古島市長選に当選した座喜味氏はオール沖縄が推薦した立候補者ではない。オール沖縄ではない保守の立候補者をオール沖縄も推薦したということである。保守だから自衛隊配備は容認である。保守の主張を左翼政党は受け入れたのだ。

　共産党は自衛隊配備には徹底して反対してきた。２０１７年には社民、社大、保守が推薦する立候補が自衛隊配備容認だったから配備反対を主張する立候補を立てて、翁長前知事に応援させたのである。共産党が自衛隊配備を容認することはあり得ないことである。容認すれば共産党の綱領に反することになる。ところが今度の市長選では共産党が座喜味支持を黙認したのである。

　自衛隊が宮古島市に配備することをずっと反対し続けてきたのが共産党である。共産党が自衛隊配備を容認する立候補を支持することはあり得ないことである。あり得ないことが宮古島市長選で起こったのである。

左翼は自衛隊配備を阻止したい。そのために選挙で配備反対の市長や議員を確保するのが左翼である。しかし、宮古島市では左翼単独では絶対に勝てない。選挙に勝つためには自衛隊を容認する保守系候補を支持しなければならなくなったのである。選挙で勝つことを優先したために自衛隊配備容認をしたのである。

宮古島市長選があった4年前の２０１６年に陸上自衛隊配備に反対する「宮古島平和集会」が同市で開かれた。大雨が降る中、約３００人が参加し、「新たな自衛隊基地建設を許さず、子どもたちに平和な未来を残そう」と配備計画を撤回させる運動を展開した。

国会でも共産党赤嶺政賢、社民党照屋寛徳、社大党糸数慶子、保守仲里利信の「オール沖縄」国会議員か宮古島市の配備撤回の反対運動と連帯することを宣言した。その集会に国会議員であった。玉城デニー知事も参加していた。

自衛隊配備に反対していたデニー氏が県知事になったのだからオール沖縄は自衛隊配備反対がもっと強くなるはずである。しかし、宮古島市長選ではオール沖縄は自衛隊配備容認になっているのである。

左翼と保守の違いは米軍、自衛隊の駐留に対する賛否である。宮古島市の自衛隊駐留を容認したのが保守であり反対したのが左翼であった。自衛隊駐留容認するということは左翼としてのイデオロギーを放棄したことになる。左翼の敗北である。左翼国会議員も宮古島市の自衛隊配備反対の声を上げることができなくなった。左翼政党は宮古島市の自衛隊配備反対運動をバックアップすることもできなくなった。バックアップすれば市長選で容認したことに反するからだ。

「陸上自衛隊配備反対」運動している市民の「陸自配備に反対の候補が出てほしかった」と主張する住民に応えることができなくなった左翼政党である。

オール沖縄は宮古市長選に勝利した。しかし、オール沖縄の左翼政党は敗北した。

2月7日

浦添市長選でもオール沖縄左翼を弱体化させたデニー知事

デニー知事は宮古島市長選に続き浦添市長選でもオール沖縄の左翼を弱体化させた。

写真はデニー知事、城間那覇市長、松本浦添市長である。三者は県庁で会談し、那覇港湾施設（那覇軍港）を浦添埠頭の北側に配置するという国の案を受け入れることに合意した。2年前の2019年3月13日である。浦添移設は国、県、那覇市、浦添市4者が2年前に合意した。合意の中心がデニー知事である。

デニー知事が浦添移転賛成であるのは2年前から明らかであった。であるなら浦添市長選でデニー知事支持のオール沖縄推薦の立候補は浦添移転を選挙公約に入れるのは当然のことである。ところが伊礼ゆうき候補は浦添移転反対を選挙公約に入れた。デニー知事と伊礼候補は那覇軍港の浦添移転で対立したのである。

翁長前知事が左翼政党と共闘したのは辺野古移設反対が理由であった。安倍政権が辺野古移設容認しなければ自民党を除籍すると自民党県連に圧力をかけた時に翁長前知事は辺野古移設反対に固執して自民党を離党した。そして、辺野古移設反対で一致する左翼政党と合流してオール沖縄を結成したのである。

左翼政党にとって浦添移設は辺野古移設と同じ米軍基地の強化である。浦添移設に反対するのは当然のことである。特に反米主義の共産党は浦添移設に絶対反対である。共産党員である伊礼候補は浦添移設に絶対反対であるし、選挙公約に掲げている。しかし、デニー知事は浦添移設に賛成している。

浦添市長選では浦添移設に反対の伊礼立候補が賛

成のデニー知事を支持し、浦添移設に反対のデニー知事が反対の伊礼候補を応援するという奇妙なことが起こったのである。デニー知事を支持している市民は伊礼候補に投票するかどうか迷ってしまう。伊礼候補への投票が半減するだろう。伊礼候補への投票を減らしてしまうのがデニー知事である。

琉球新報は自民、公明両党が推薦する松本氏と、玉城デニー知事らが支える伊礼氏という対決の構図であると書いている。沖縄タイムスは自民、公明の政権与党が松本氏を推す一方、共産、社民、社大、立民など県政与党を構成する勢力が伊礼氏を支援する構図と書いている。

両新聞に共通するのは伊礼候補支援にオール沖縄を上げていないことである。オール沖縄の保守と左翼は分裂していると書いているようなものだ。宮古島市長選では左翼は保守に妥協した。だから自衛隊配備を容認した。浦添市長選では米軍問題だから左翼はデニー知事、保守に妥協することはできない。保守もデニー知事が賛成なので左翼に妥協しない。オール沖縄は分裂したのである。デニー知事は左翼を弱体化させている。

2月8日

松本候補圧勝は翁長前知事の置き土産である

浦添市長選は現職の松本哲治氏（53）が3万3278票を獲得し、前市議の新人・伊礼悠記氏（38）＝無所属＝を1万7775票差の大差で勝った。原因のひとつが伊礼候補を応援する立場の玉城デニー知事が那覇軍港の浦添移設に賛成だったことだ。

伊礼候補は軍港移設の中止を公約にしていたのに応援しているデニー知事は移設に賛成という矛盾があった。そんな矛盾のある候補者に市民は投票しない。デニー知事は伊礼候補の落選を助長したのだ。

デニー知事が浦添移設に賛成するのは翁長前知事の方針を継承したからである。翁長前知事は辺野古移設に反対し、オスプレイの普天間飛行場配備にも反対した。しかし、那覇軍港の浦添移設には賛成していた。翁長知事の遺言により知事選に立候補したデニー知事は翁長知事の継承者である。だから、辺野古移設には反対であるが浦添移設には賛成である。

城間那覇市長も翁長前知事の後継者なので那覇軍

港の浦添移設に賛成である。松本候補の方が反対していた。しかし、今回の市長選ではデニー知事と城間那覇市長が移設を認めていることを挙げ「公益を重視する」として受け入れを表明した。

、共産党県会議員（7人）は一貫して「軍港の無条件返還」「移設そのものへの反対」を主張し、玉城デニー知事に無条件全面返還を求めることを要請した。デニー知事は共産党の圧力に屈しなかった。共産党は浦添市役所に押しかけ松本市長に抗議、移設に反対するよう文書で要請した。しかし、松本市長も共産党の圧力に屈しなかった。

翁長前知事の那覇軍港の浦添移設をデニー知事と城間那覇市長は受け継ぎ、二人の確固とした方針が松本候補の浦添移設容認の選挙公約に繋がったのである。翁長前知事なしには松本候補大勝はなかった。左翼とオール沖縄を結成して左翼勢力拡大を助長していった翁長前知事であったが、死後3年後に左翼の敵を大勝させたのである。

浦添市長選で浦添移設を容認する松本哲治氏が3選を果たしたことを受け、デニー知事は移設計画を進める考えを示した。デニー知事と共産党左翼の対立は激しくなっていくだろう。

デニー知事は採掘禁止できない

遺骨収集しているガマフヤーの具志堅植松氏は国定公園の土砂が辺野古埋め立てに使用されることに反対しハンストをした。反対運動は拡大していき、那覇、糸満、南風原、石垣の市議会は土砂採取に全会一致で反対した。県議会も反対した。しかし、玉城デニー知事は沖縄本島南部の国定公園内の砕石について採掘を禁止・制限する措置命令を見送った。

見送った原因は法律にある。すでに国定公園内では採掘している鉱山がある。採掘はすでに行われて辺野古以外の埋立てに使用されている。辺野古の埋立てだけには使用するなと禁止命令するのは法律違反なのだ。

辺野古以外の埋立てに使用するための採掘を始めた時には具志堅氏は採掘に抗議するハンストをしなかった。今回は辺野古の埋立てに使うというから反対したのである。具志堅氏は辺野古以外の埋め立てに遺骨が眠る土砂を使うのには反対しなかったのだ。辺野古の米軍飛行場建設の埋立てに使用するから反対しているのである。

読谷村の比謝川河口の崖が崩れた写真である。松など草木が生えている土砂は数十センチくらいである。土砂を取り除くのは簡単だ。土砂を取り除いて下の石灰岩だけを使用する。

ところがマスメディアは、本島南部では、沖縄戦で米軍に追いつめられた日本兵や民間人らが犠牲になった。南部にはまだ調査が手つかずのガマ（自然洞窟）などがあり、遺骨が土砂と共に運び出されることを植松氏が反対していると報道するのである。

「辺野古以外の埋立てに使用するのに賛成ですか反対ですか。すでに採掘されている場所がありますが、なぜ反対しなかったのですか」と質問するマスメディアは居ない。質問すればガマフヤー植松氏が遺骨を含んだ土砂が採掘されて埋め立てに使用されることには反対していないことが明らかになるからだ。そうすると植松氏に幻滅して採掘反対運動に打撃を受ける。だから質問しない。マスメディアも仲間である。

辺野古の埋立てに使用するのは土砂ではない。砕石である。ところが反対派は土砂と言い、マスメディアも土砂と報道する。沖縄は石灰岩の島である。遺骨が埋まっているのは土砂である。写真で分かるように土砂は1㎡もない。土砂の下に石灰岩が埋まっている。土砂を取り除いて石灰岩を砕いて埋め立てに使用する。それなのに土砂を埋め立てに使用するイメージを県民に植え付けるために「土砂」を埋め立てに使用すると嘘をつくのである。多くの県民は遺骨が埋まっている土砂が辺野古の埋立てに使用されると信じて、反対するようになる。辺野古移設反対派の狙いはそこにある。

辺野古移設反対派の狙い通りになるのは県民だけでなく自民党系議員も同じである。次々と南部の採掘に反対したのだ。県議会で証言した業者は土砂ではなく土砂を取り除いた石灰岩を使用することを説明したのに、そのことを県民に伝える努力を放棄して採掘に反対したのである。賛成すれば県民に嫌われ落選することを恐れたからである。

自民党議員も採掘反対し、市議会、県議会が採掘反対したのだからデニー知事が反対する流れになっていた。しかし、デニー知事は採掘を禁止しなかった。移設反対派がつくり上げた採掘禁止の流れをデニー知事が裏切ったのである。デニー知事も禁止したかっただろう。しかし、禁止できなかった。

辺野古移設反対派の目的に立ちはだかったのが自然公園法という法律である。自然公園法の33条第2項は「当該公園の景観を保護するために必要であると認められたとき」に中止命令が出せると書いてある。自然公園法は公園の自然を守る目的の法律である。公園の土砂や砕石の使用目的については規定していない。つまり使用するのは自由であるのだ。自然公園法で南部の砕石を辺野古の埋立てに使用することを禁止することはできない。禁止すれば県が違法行為をすることになる。禁止すると業者が県を提訴する。県が裁判で敗北するのは確実である。県は砕石を許可し賠償金も払わなければならない。裁判になることを恐れた県は中止命令を出さなかったのである。

裁判をする相手が政府であったら負けることを知っていても砕石を禁止しただろう。辺野古問題で県は裁判闘争をしてきた。そして、全て負けた。負けても政府とは裁判をやる。司法が政府の味方をしている。日本は真の三権分立ではないと国を批判することができる。しかし、今回は民間業者との裁判である。民間に負ければいいわけができない。デニー知事は民間との裁判は避けなければならない。だから、採掘の禁止をしなかった。

新型コロナ感染のこの1年間で痛切に感じたのはマスメディアの徹底した反政府主義と感染専門家の無能な権威主義である。

　新型コロナはこれまでの感染病とは違い感染力が強いこと、感染はクラスターで起こることを発見して、クラスター潰し、濃厚接触者のＰＣＲ検査の感染対策を考え、クラスター対策班のリーダーとなったのが押谷仁東北大学教授である。

東京五輪は開催し、成功して終わる　当然である

　神谷教授の新型コロナ感染対策は感染病の歴史で初めてであった。ロックダウンをしなかったのに感染者が非常に少なかったのはクラスター対策班による日本独自のコロナ対策を実施したからであった。ところがマスメディアはこの事実を国民に隠し続けた。事実を明らかにすれば政府のコロナ対策の成果を認めることになる。マスメディアは政府の成果を認めることは絶対にしない。批判に徹する。マスメディアは政府の批判に徹し、国民の政府支持を下げるために活動している。このことをはっきりさせたコロナ感染であった。

　政府はコロナ感染を押さえてオリンピック開催を目指している。しかし、世論調査は７０％以上が開催中止に賛成している。コロナ感染を押さえてオリンピック開催を希望するか否かの世論調査をすれば７０％以上が希望するだろう。そうなると政府への感染抑止への努力を期待する。政府批判が難しくなる。だから、オリンピック開催希望賛否の世論調査はしない。マスメディアは政府のコロナ対策批判に徹するだけである。

　専門家とは膨大な専門書を読み、頭に叩き込んだ人間である。専門書に書かれた通りのことに対しては的確に対処できる。書かれていない新しいことが起これば対処できない。感染専門家たちは新型コロナ対策にはロックダウンとＰＣＲ検査を主張するだけであった。感染防止に全然貢献しなかった専門家たちである。それでも権威を振りまいて感染対策の椅子に座り続けた。

　菅政権はコロナ感染を押さえてオリンピックを開催し、成功させる。間違いない。

「国民の命を守る」ではない「疾患のある高齢者の命を守る」だ

政府へのＧｏ ＴｏトラベルДл停止要求の根拠は国民の命や健康を守るためであった。菅首相も「国民の命と暮らしを守るため」にＧＯ ＴＯトラベルを停止すると発言した。

「国民」というのはおかしい。新型コロナの特徴は疾患のある高齢者の死亡がほとんどであり、コロナ感染しても幼児、若者の症状は風邪よりも軽い。無症状も多い。感染死者はは３７５５人であるが幼児や若者の死者は居ない。健康な３、４０歳代の死者もいない。５０歳代の羽田議員が死亡したが、彼は糖尿病と高血圧の持病があった。持病がなければ死ななかったはずである。

コロナ感染で死亡するのは基礎疾患のある高齢者である。だから「国民の命を守る」ためのＧＯ ＴＯトラベル停止というのは間違っている。「疾患のある高齢者を守る」ためである。

コロナ感染が国民の命を失わせるイメージを広めているのが専門家会議、医師会、マスメディアであり、国民を不安に陥れている。

国民の８０％以上がＧＯ ＴＯトラベルに反対し、緊急事態発令に賛成している。国民は健常者であっても死亡すると思い込んでいるからである。それほどまでにマスメディアによる新型コロナ感染恐怖が国民に浸透している。

大阪府の調査で７０歳以上が死亡者全体の８３％を占め、高齢者の感染死亡リスクが高いことは判明している。調査では３０代以下は一人も居ず、４０代で数人が死亡したがいずれも基礎疾患があった。

コロナ感染死を防ぐことは疾患のある高齢者への感染を防ぐことである。であるなら高齢者が入院している病院や高齢者養護施設の新型コロナ感染を防ぐ対策に感染専門家、医師会は集中するべきである。しかし、しなかった。そのために院内感染が多発した。

感染専門家、医師会、マスメディアはコロナ感染拡大を防ぐことにほ貢献しないで国民のコロナ感染不安を掻き立てることに貢献した。三者が国民のコロナ感染不安を掻き立てたのがもうひとつある。インフルエンザについて説明しなかったことである。

毎年冬になるとインフルエンザ感染が流行する。ところがコロナ感染が拡大した去年の１２月はインフルエンザに感染した国民はほとんどいなかったし、１月になってもインフル感染者はほとんどいない。死者はゼロである。

２０１９年のインフルエンザ感染死亡者の表である。

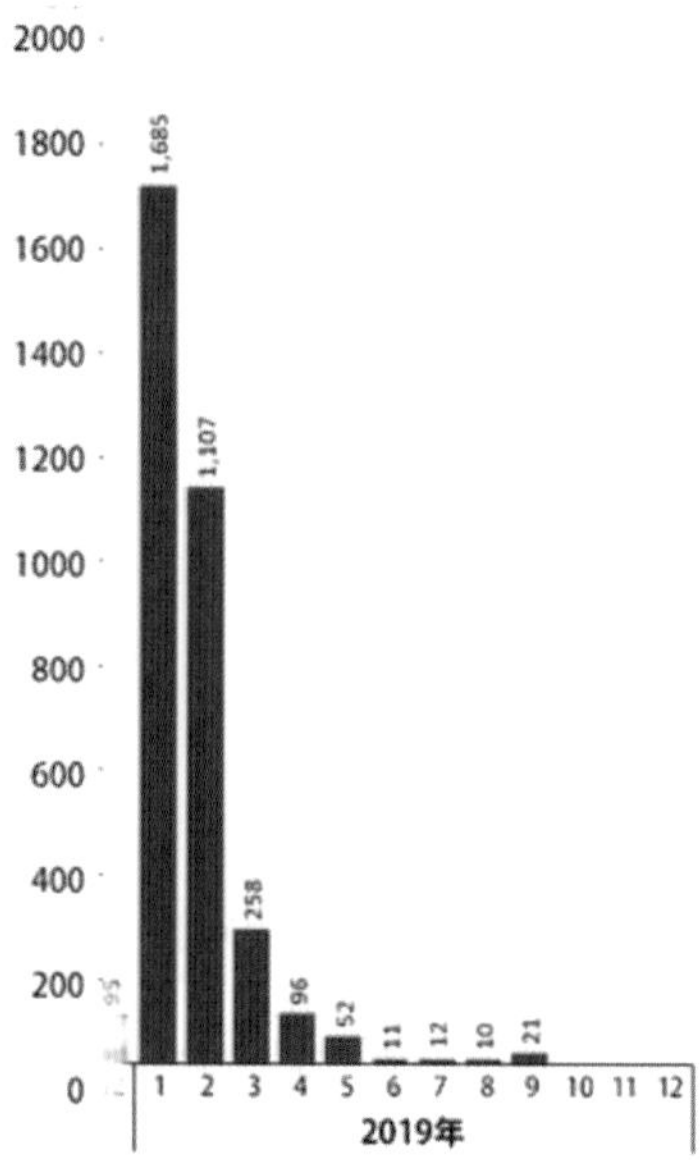

１月の死者は１６８５人である。１月の一日平均の死者はおよそ５５人である。１月１日から５日までのコロナ感染死者の平均は５３人である。コロナ感染がなければインフルエンザで５５人ほどは死亡していたからコロナ感染で感染死亡者が増えたのではないことが分かる。

インフルはワクチンがあるし治療薬もある。それなのに１月には１６８５人の死亡者が出るのである。もし、ワクチン、治療薬がなければ新型コロナよりはるかに多い死亡者が出るだろう。新型コロナより恐ろしいのがインフルエンザなのだ。インフルがもっと恐ろしいのは疾患高齢者だけでなく幼児から全ての年代に死亡者が出ることである。

平成２２年３月３０日時点での累計１９８人のインフル死亡者の年齢別内訳である。

１～４歳３人・５～９歳１７人・１０～１４歳１３人・１５～１９歳５人・２０～２９歳３人・３０～３９歳１１人・４０～４９歳１４人・５０～５９歳３１人・６０～６９歳３１人・７０～７９歳２５人・８０歳以上２３人

この事実を知れば新型コロナでよかったと思う国民が増えるだろう。三者は新型コロナとインフルを比較することはしないでコロナ感染の恐怖を発信するだけである。

２月末から基礎疾患高齢者のワクチン接種が始まる。死亡者は減少するだろう。国民の新型コロナへの不安は確実に解消されていく。

1月8日

政府コロナ対策のブレーンはクラスター対策班押谷教授である

1月8日、政府は1都3県への緊急事態宣言を発令した。

知事の権限	外出自粛、休業・休校・イベント中止の要請が可能に
主な措置	飲食店は午後8時までの時短要請 ●酒類提供は午前11時から午後7時まで ●応じない場合は店名公表も。罰則なし ●応じた店舗への協力金の上限を1日6万円に増額
	午後8時以降の外出自粛を徹底
	テレワークなどで「出勤者の7割削減」目指す
	大規模イベントは収容人数の50%を上限に5000人まで
	大学入学共通テスト、高校入試は予定通り実施
	小中高校の休校要請せず
	保育所や学童保育は原則休園・休所せず

緊急事態宣言が適切であると肯定するマスメディアはひとつもない。すべてのマスメディアは批判している。一カ月間の緊急事態宣言で新型コロナ収束はできるはずがない。飲食店のみを時短要請しただけでは駄目だ。対象を他の事業にも広げるべきだ。政府のコロナ対策は後手後手である。東京の一日の感染者を500人にするのは多い。100人以下にするべきだ。コロナ分科会の尾身茂会長も「飲食店は重要だが、そこだけで感染を沈静化できない」と批判する。一方では飲食店への時短請求に反対の主張もある。時短要請は飲食店の経営を窮地に追いやり廃業が増え、解雇者が増え経済の破綻につながる等々。

緊急事態宣言が適切であるというマスメディアはひとつもない。菅首相はコロナ対策を真剣に考えていないというマスメディアも出てきた。

橋下徹氏は緊急事態宣言を発令した菅首相を「勘で国家運営をしているんじゃないか」と批判する。

緊急事態宣言の案は菅首相が考えたものではない。感染病の専門家ではない菅首相に専門的なコロナ対策をできるはずがない。緊急事態宣言の案は厚労省に設置した新型コロナ対策班のクラスター対策班が作成したものである。クラスター対策班のリーダーが押谷仁東北大教授である。昨年四月の緊急事態宣言案を作成したのも押谷教授である。

２０２０年四月の緊急事態要請

47都道府県

「生活の維持に必要な場合」を除く外出自粛要請

学校や映画館などの休業の要請・指示

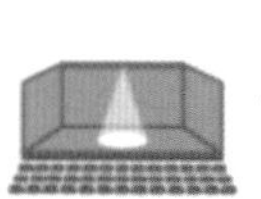
イベント開催の制限・中止の要請・指示

臨時医療施設を開くための土地・建物の同意なしの使用

医薬品や食品の売り渡し（応じない場合の収用）

こんな緩い緊急事態宣言では感染爆発が起き、二週間後には第二のニューヨークになると専門家やジャーナリストは批判した。しかし、見事に感染拡大を防いだ。第一回の緊急宣言案を作成したクラスター対策班は今度の緊急対策宣言案を作成した。

今回の緊急事態宣言と昨年4月の宣言と異なるのは、感染拡大の「急所」とする飲食の場に対策の重点を置いていることだと押谷教授は強調した。押谷教授は、医療機関や福祉施設、教育施設のクラスターをきっかけに地域に流行が広がることは少ないと指摘。感染の拡大を抑えるうえでは「飲食の場が重要で、そこを抑えていかないといけない」と説明している。

前回は４７都道府県に要求した学校、映画館の休業、イベント開催の制限・休止であったが、今回は飲食業の営業を２０時までとするかなり規制がゆるやかなものである。それでは効果がないと指摘する専門家やジャーナリストは多い。しかし、今回は営業時間短縮の要請に応じた店への財政支援、応じない店には罰金を科す罰則を盛り込む。飲食事業への要請は前回よりも厳しいものとなる。

コロナ感染を徹底して封じ込めるには人と人の接触を断つことである。全ての国民が家から一歩も出なければコロナ感染拡大を阻止できる。一カ月続ければ日本から新型コロナを消滅させるだろう。外国からの入国も禁じれば一カ月後から日本は新型コロナのない国になる。しかし、経済が崩壊する。多くの企業が倒産し、解雇者が何千万人と増え、日本は貧困の国と化す。

　経済を優先させれば人と人の接触が増え、コロナ感染は爆発的に拡大する。

　コロナ感染封じ込めと経済維持を両立させることは非常に困難である。この困難な作業に打ち込んでいるのが押谷教授が率いるクラスター対策班である。

　クラスター対策班はコロナ感染拡大を押さえながら経済も普通に展開できるのを目指した。それがクラスター潰しである。クラスター潰しには弱点がある。コロナ感染者の感染経路が分からなければクラスター潰しができない。市中感染・無症状者の増大がクラスター潰しを無力にする。去年四月はクラスター潰しが限界だったから緊急事態宣言をした。そして、今回もクラスター潰しだけではコロナ感染拡大を止めることができなくなったので緊急事態宣言をしたのである。

　クラスター潰しのすばらしさを認識できた感染専門家、学者、医師、ジャーナリストをまだ一人も見たことがない。これが日本の専門家の世界とは情けない。

　政府の新型コロナウイルス対策の分科会が８日に開かれ、昨年１２月に発生した８０７件のクラスター（感染者集団）を分析した結果が報告された。

	クラスター	感染者
医療・福祉施設	３６１	８１９１
飲食関連	１５６	１６６４
教育施設	１２３	１７５４
職場関連	９５	１１０３
その他	７２	５４０
計	８０７	１３２５２

押谷教授は緊急事態の対象に飲食関連だけを指定した理由を明確に述べている。

　飲食関連のクラスター発生は、接待を伴う飲食店が７７件（同９０７人）で約半数。そのほかの飲食店は３９件（同３２７人）であり、カラオケ１９件（同２４５人）、会食１６件（同１３４人）、ホームパーティー５件（同５１人）だった。

　押谷教授は今回の緊急事態宣言はこれまでのコロナ感染拡大を研究した結果、感染拡大の「急所」が飲食関連であることを突き止めた。医療機関や福祉施設、教育施設のクラスターをきっかけに地域に感染が広がることは少ない。飲食関連のクラスターは感染経路不明が多く、地域に感染拡大させる確率が高い。感染拡大を抑えるうえでは「飲食の場が重要で、そこを抑えていかないといけない」と説明している。感染拡大のポイントを押さえて経済への影響を押さえながらコロナ感染拡大を防ぐのが押谷教授のやり方である。

　緊急事態宣言発令中による飲食関連の営業短縮中もクラスター潰しはやる。政府は一カ月で東京都のコロナ感染を５００人にするのを目標にしている。専門家、ジャーナリストのほとんどはこんな生ぬるいやり方では実現できないと予想している。私も無理ではないかと思う。１０００人なら実現するのではないか。１０００人にして、１０００人以内を維持して、ワクチン接種すればいいと思う。

　メルケル首相が名演説をしたドイツのコロナ感染状況である。

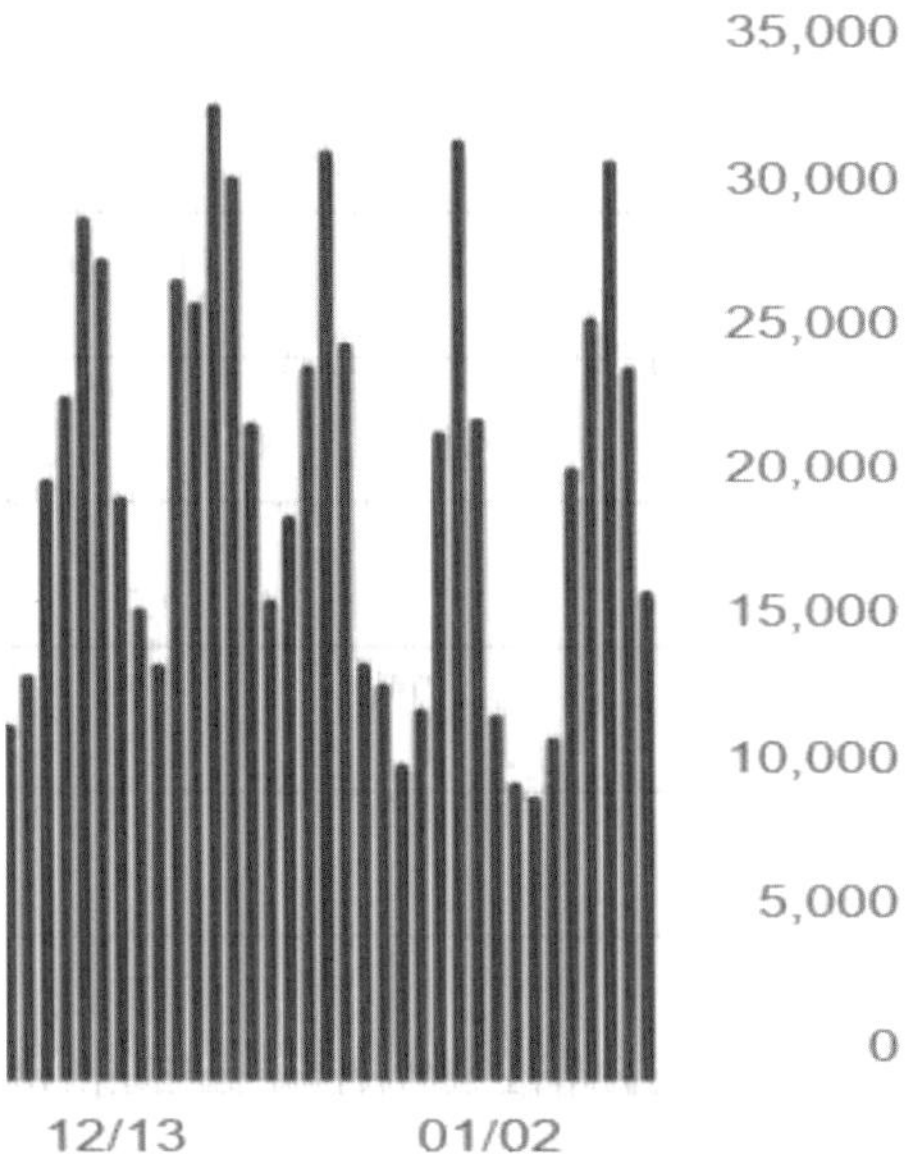

35,000
30,000
25,000
20,000
15,000
10,000
5,000
0
12/13
01/02

８日　３４８４９人
９日　２４６９４人
１０日　１４９４６人

ロックダウンをしたドイツであるが感染者は減っていない。ドイツのメルケル首相は新型コロナウイルスの感染拡大を抑えるための規制を再び強化すると発表した。感染が深刻な地域の住民は居住地から１５キロまでに移動が制限される。１０日までとしていたレストランや商店、学校の閉鎖は少なくとも１月末まで続ける。

ドイツのロックダウンの結果を見れば日本の緊急事態宣言は全然効果がないと予想せざるを得ない。飲食店、焦点、学校を閉鎖をしないでコロナ感染を500人にするというのは神業である。神業に挑戦しているのがクラスター班であり菅首相である。成功することを祈る。

コロナ感染の本当の問題は感染数ではなく死者数である。コロナ感染者で致死率が高いのが基礎疾患を持っている高齢者である。

2020年6月の調査で院内感染者の死亡率は20%であることが判明した。それは全感染者の4倍に達している。

大阪府の2020年6月の調査でも新型コロナウイルスによる府内の死亡者計86人のうち、約45%の39人が院内感染と推定されるとの調査結果を発表した。

半年以上の6月に院内感染死亡率が高いことが判明している。感染専門家、医師会は院内感染防御に真剣に取り組んで院内感染を防ぐべきであった。しかし、しなかった。その結果が12月のクラスター発生で医療機関や福祉施設での発生が45%も占めたのである。死者を増やした責任は感染専門家、医師会にもある。

コロナ感染死者を年代別でみると、80代以上が2141人と61・7%を占め、圧倒的に多い。70代839人(24・2%)であり、70代以上が85・9%である。70代以上が感染死者のほとんどを占めている。それに死者のほとんどは基礎疾患のある高齢者である。

60代293人(8・4%)、50代97人(2・8%)の順だった。40代以下は44人(1・3%)にとどまる。

死者を減らすには医療・福祉施設をコロナ感染させないために徹底管理をすること。市民生活をしている高齢者を感染させないように高齢者のいる家庭を直接指導することである。テレビやラジオ、新聞を見ない高齢者は多い。役所の職員が直接指導する必要がある。特に基礎疾患の高齢者にはコロナ感染しないための指導を徹底するべきである。基礎疾患者と高齢者がコロナ感染しなければいいのだ。

東京都の感染者を500人にすることができるのか。注目していきたい。

1月23日

欺瞞のマスメディア、専門家が徹底して避けた日本と欧米の感染比較

世界に衝撃が走ったのが　2020年2月下旬から起こったイタリアの新型コロナ感染爆発であった。ダイヤモンド・プリンセス号に乗客を閉じ込めたためにコロナ感染者が増えたことでマスメディアと専門家が日本政府を批判し、　12時間後に乗客全員を下船させたイタリア政府を専門家上昌広氏が称賛して「イタリアは感染者が居ない」と自信満々に述べたわずか2週間後にそのイタリアで感染爆発が起こった。

専門家上氏のコロナ感染論が根本的に間違っていて日本政府のコロナ対策が正しかったことが明らかになったのがイタリアでのコロナ感染爆発であった。欧米では次々とコロナ感染爆発が起こったので、専門家、マスメディアはダイアモンド・プリンセス号に対する日本政府のコロナ対策への批判はしなくなった。それに欧米と日本の感染者数の比較もしなくなった。比較すれば日本のコロナ感染者が非常に少ないことを報道することになり日本政府のコロナ対策を批判することが難しくなるからだ。

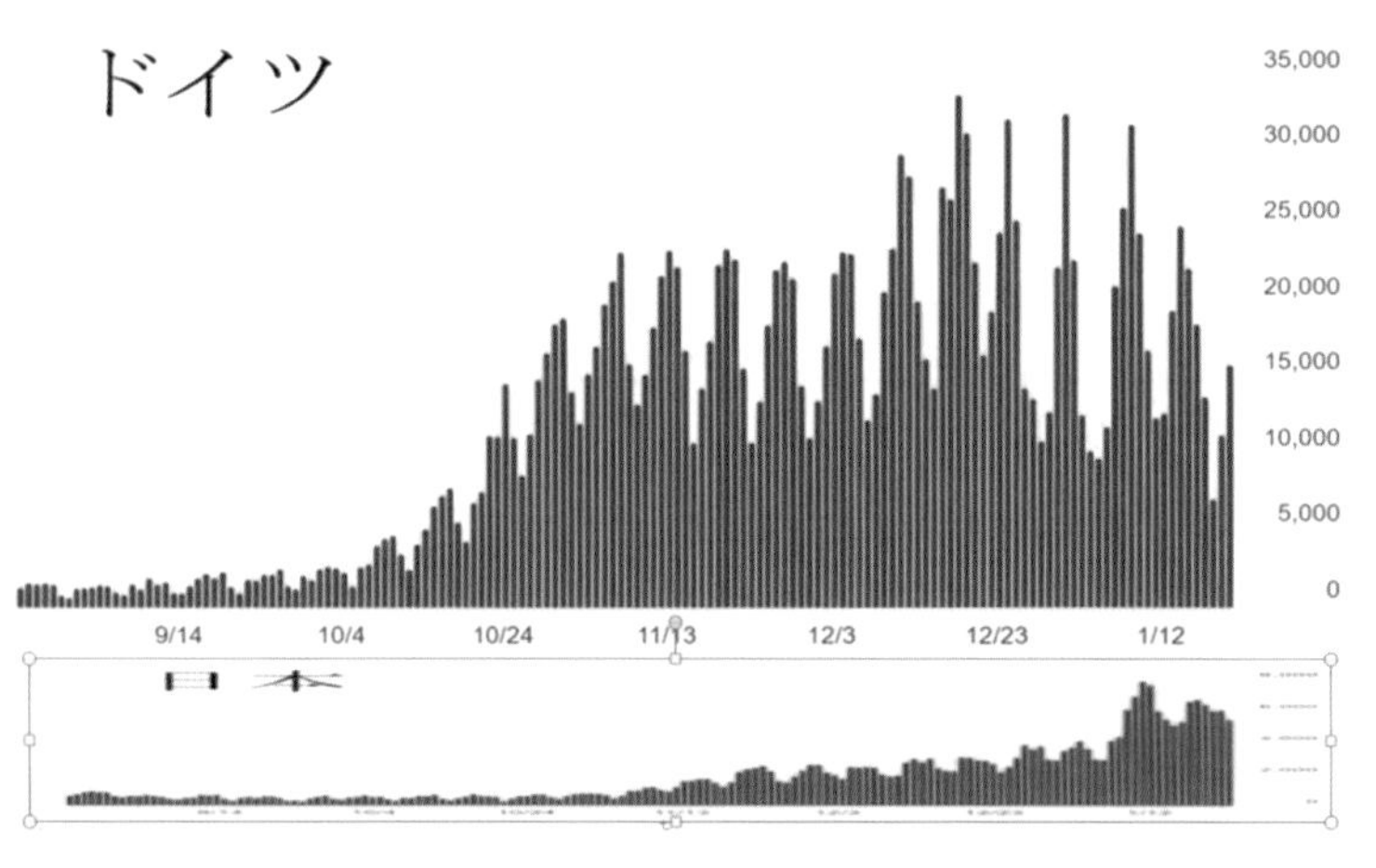

ドイツと日本の感染者数の実数に合わせた表である。日本は１月に７０００人を超えたが、ドイツでは１０月には１００００人を超え、２００００人、３００００人を超える日が多い。ドイツに比べると明らかに日本の感染数は少ない。

イギリスと日本の感染者数の表である。

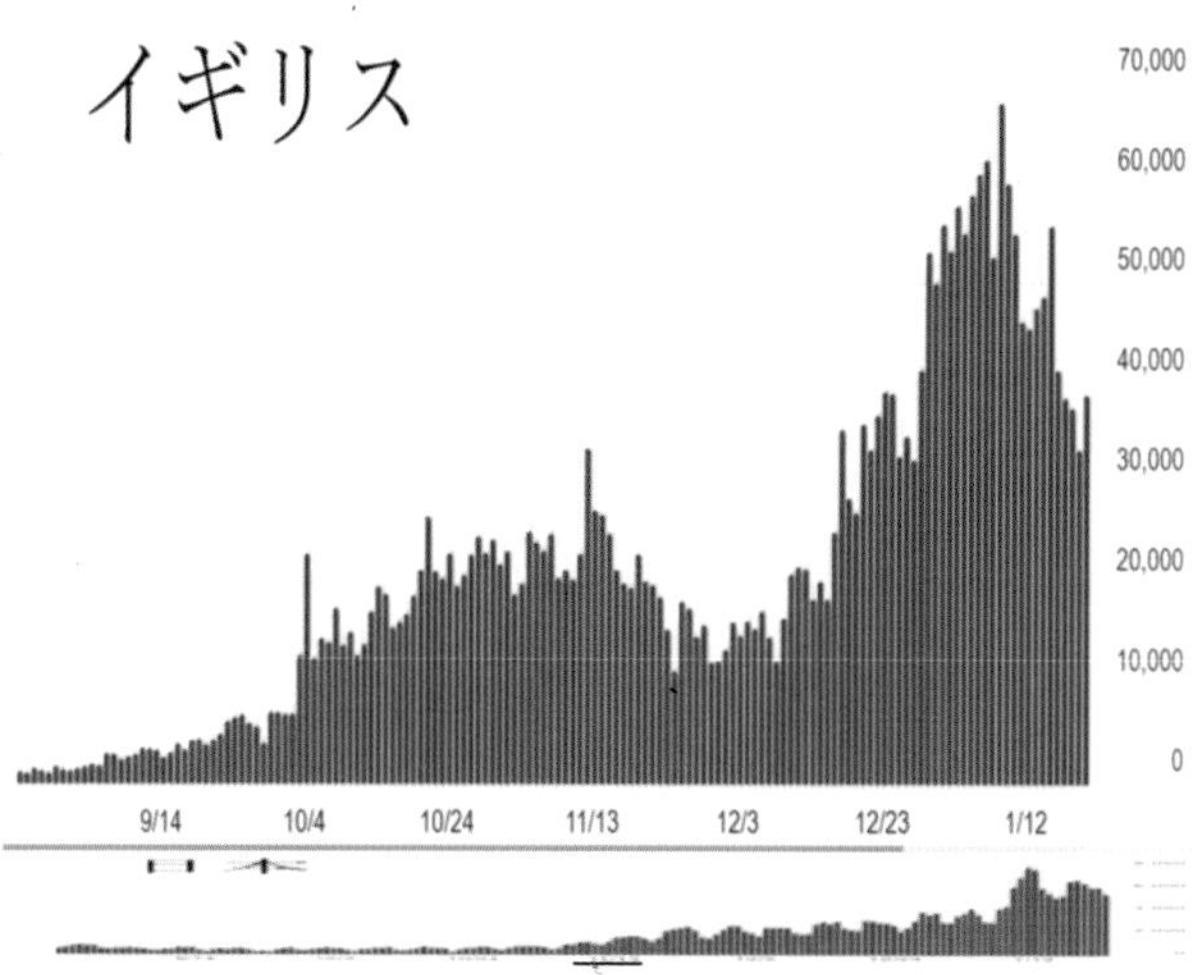

イギリス

イギリスは日本が一度も達していない１万人を超えたままである。イギリスはドイツよりも感染者数の開きがある。多くの日本国民はこの事実を実感していない。図表での比較をテレビで報道しないからだ。

人口当たり死亡者数では上位は欧州諸国、日本は１２７位である。これは紛れもない事実である。しかし、専門家、マスメディアはこの事実を国民に広めることを避けている。

専門家が比較しないのは日本のコロナ感染が少なく欧米の感染が多い理由を説明できないからだ。

ノーベル生理学・医学賞受賞者で京都大学ｉＰＳ細胞研究所所長の山中伸弥氏は、何か日本特有の理由があるのではないかと、自身が開設しているコロナの情報サイトで発信し、これを「ファクターＸ」と名付けた。ファクターＸの正体は今も謎のままである。

初期から有力候補として浮上していたのが「ＢＣＧ接種説である。日本人はＢＣＧ接種をしているから接種をしていない欧米人とは違って新型コロナに対する免疫があるから感染者は少ないという説である。しかし、その説は緊急事態宣言が解かれて次第に人と人の接触が増えることによってコロナ感染者が増え、１２月から1月にかけて急激に増えていったので「ＢＣＧ接種説」は消えていった。

感染専門家でありながら日本と欧米のコロナ感染の開きを説明できない。だから、欧米と日本のコロナ感染の比較を避けているのだ。

マスメディアが比較しないのは菅政権批判を展開できないからである。欧米と日本の感染者数を比べると日本が非常に少ないことが明確である。図表で比較すれば一目瞭然である。すると日本政府のコロナ対策は優れていると国民は認め菅政権の支持率は上がる。マスメディアは菅政権批判するのが難しくなる。

反権力がマスメディアの使命と信じている多くのマスメディアは菅政権批判に固執している。菅政権批判に不利になるような事実は報道を押さえるし、有利になる事実は積極的に報道する。欧米のコロナ感染報道は押さえている。しかし、菅政権批判につながる報道はやる。

菅首相が「スーガーです」とニコニコしてネットて。話したのを批判するためにドイツのメルケル首相の演説のすばらしさを取り上げた。しかし、ドイツのコロナ感染が日本とは比較できないほどに拡大していることやロックダウンしても感染者が減っていない事実は報道しなかった。

専門家、マスメディアの欺瞞が国内に満ち溢れ、国民は騙されて菅政権を支持していない。この1年間で新型コロナ感染対策で優れていたのは専門家、マスメディアではない。安倍・菅政権である。

2月3日

コロナ感染者が激減した　押谷教授の対策はすごい

東京都の新型コロナな感染者は1月7日に２４４７人だった。政府は8日に緊急事態宣言をした。するとわずか3週間で５５６人まで減った。正直いってこんなに減少するとは想像できなかった。すごいことである。このままいけば3月7日までには５００人以下になるだろう。

全国では1月7日に７８８２人の感染者であった

が２月１日は１７９１人、２日は２３２３人であった。３週間で３分の１以下に減少したのである。

緊急事態宣言の対象は全国ではなく一都十府県に限定した宣言であった。緊急事態宣言の対象になっていない県が激増する可能性がある。感染拡大を防ぐならば全国を緊急事態宣言の対象にするべきであるのに１１都府県だけにした。それではコロナ感染拡大を防ぐのは無理ではないかと思わざるを得なかった。全国を対象にしなかっただけではない。第一次非常事態宣言に比べてかなり規制が緩くなっていた。多くの専門家は規制が緩い、これではコロナ感染を押さえることはではないと批判した。

第二次非常事態宣言である。

知事の権限	外出自粛、休業・休校・イベント中止の要請が可能に
主な措置	飲食店は午後8時までの時短要請 ●酒類提供は午前11時から午後7時まで ●応じない場合は店名公表も。罰則なし ●応じた店舗への協力金の上限を1日6万円に増額
	午後8時以降の外出自粛を徹底
	テレワークなどで「出勤者の7割削減」目指す
	大規模イベントは収容人数の50%を上限に5000人まで
	大学入学共通テスト、高校入試は予定通り実施
	小中高校の休校要請せず
	保育所や学童保育は原則休園・休所せず

第一次ではイベントは禁止、学校は休校であった。第二次では休校しない。「出勤者の７割目指す」は「８割目指す」であった。１割緩くなったが、実際は宣言前と通勤者はほとんど減らなかった。こんなに緩い状態でコロナ感染者が東京で５００人になる可能性はゼロに近いと思う状態であった。しかし、激減した。押谷教授のコロナ対策はすごい。

１月８日のブログ「政府コロナ対策のブレーンはクラスター対策班押谷教授である」で第二次非常事態宣言をする押谷教授の説明を紹介した。

押谷教授は緊急事態の対象に飲食関連だけを指定した理由を明確に述べている。

飲食関連のクラスター発生は、接待を伴う飲食店が７７件（同９０７人）で約半数。そのほかの飲食店は３９件（同３２７人）であり、カラオケ１９件（同２４５人）、会食１６件（同１３４人）、ホームパーティー５件（同５１人）だった。

押谷教授は今回の緊急事態宣言はこれまでのコロナ感染拡大を研究した結果、感染拡大の「急所」が飲食関連であることを突き止めた。医療機関や福祉施設、教育施設のクラスターをきっかけに地域に流行が広がることは少なかったと指摘している。飲食関連のクラスターは感染経路不明が多く、地域に感染拡大させる確率が高い。感染拡大を抑えるうえでは「飲食の場が重要で、そこを抑えていかないといけない」と説明している。感染拡大のポイントを押さえて経済への影響を押さえながらコロナ感染拡大を防ぐのが押谷教授の方針である。

緊急事態宣言発令中による飲食関連の営業短縮中もクラスター潰しはやる。政府は一カ月で東京都のコロナ感染を５００人にするのを目標にしている。専門家、ジャーナリストのほとんどはこんな生ぬるいやり方では実現できないと批判している。私も無理ではないかと思う。１０００人なら実現するのではないか。１０００人以内を維持しつつ、２月のワクチン接種を勧めればいいと思う。

「政府コロナ対策のブレーンはクラスター対策班
押谷教授である」

専門家、ジャーナリストの予想を見事覆した押谷教授のコロナ対策である。

専門家とは感染病専門家のことである。ほとんどの感染病専門家は第二次緊急事態宣言では感染拡大防止の効果はないと批判していたのである。しかし、３分の１以下に減らした。押谷教授の新型コロナ感染防止対策は感染専門家の批判を覆したのである。

新型コロナは政治問題ではない。医学問題である。政府はどの感染専門家の新型コロナ対策を採用するかである。安倍前政権は押谷教授のコロナ対策を採用した。多くの専門家が主張する無差別なＰＣＲ検査を採用しなかった。そして、多くの専門家の理論とは違う第一次緊急事態宣言、第二次緊急事態宣言を実行したのである。政府のコロナ対策は成功していると判断するべきである。世界の感染者数ランクである。

#	国	感染者数	感染者数/人口100万人	死亡者数	死亡者数/人口100万	人口
1	アメリカ合衆国	22,456,902	67,637	376,149	1,139	332,018,597
2	インド	10,432,526	7,521	150,835	109	1,387,086,244
3	ブラジル	8,015,920	37,572	201,542	945	213,349,602
4	ロシア	3,355,794	22,990	60,911	417	145,967,334
5	イギリス	2,957,472	43,446	79,833	1,173	68,072,743
6	フランス	2,747,135	42,038	67,431	1,032	65,349,297
7	トルコ	2,307,581	27,208	22,450	265	84,812,453
8	イタリア	2,237,890	37,042	77,911	1,290	60,415,065
9	スペイン	2,050,360	43,845	51,874	1,109	46,764,292
10	ドイツ	1,895,139	22,581	40,401	481	83,924,420
11	コロンビア	1,755,568	34,311	45,431	888	51,165,808
12	アルゼンチン	1,703,352	37,509	44,273	975	45,412,349
13	メキシコ	1,507,931	11,632	132,069	1,019	129,639,479
14	ポーランド	1,365,645	36,104	30,574	808	37,824,814
15	イラン	1,274,514	15,074	56,018	663	84,552,899
16	南アフリカ	1,192,570	19,977	32,425	543	59,698,219
17	ウクライナ	1,105,169	25,351	19,588	449	43,595,173
18	ペルー	1,029,471	30,998	38,145	1,149	33,210,883
19	オランダ	858,914	50,069	12,171	709	17,154,765
20	チェコ	809,601	75,527	12,800	1,194	10,719,408
41	日本	265,299	2,101	3857	31	126,272,612

世界各国の新型コロナ感染者数/死亡者数の比較 worldometer より

日本は４１位である。人口１億２０００万、経済世界３位、人口密度の高い日本が４１位というのはコロナ対策に成功している証拠である。

ところが菅政権のコロナ対策は失策の連続であるというイメージがつくられ、支持率は３０％台まで落ちた。政策としてのコロナ対策は成功したのに支持率が落ちるのは日本国くらいではないだろうか。

後手後手のコロナ対策と菅政権を非難している立憲民主党の枝野代表が首相であったらコロナ感染者をゼロにすることができたか。共産党が政権党であったらコロナ感染を菅政権より少なくしていたか。尾身会長ら専門家のコロナ対策をすれば日本経済は回復するかを真剣に検討にするべきである。

立憲民主党や共産党が政権を握って、もし押谷教授のコロナ対策を採用していなかったらコロナ感染は爆発的に拡大していたはずである。

緊急事態宣言を延長することを判断したのは政府の専門家会議である。しかし、専門家会議はコロナ感染の防止についてはなにもしていない。緊急事態宣言の効果を分析しただけである。コロナ感染拡大防止に貢献していない日本の専門家たちである。貢献したのは全国にクラスター潰しを展開していった押谷教授率いるクラスター対策班である。

クラスター対策、蔓延防止措置、高齢者ワクチン接種、オリンピック選手とスタッフワクチン接種、ＰＣＲ検査の徹底、酒飲食店規制。観客のコロナ対策・・・菅政権はあらゆるコロナ対策をする。東京オリパラでコロナ感染は多少は増えるだろうが、急激に拡大することはない。東京五輪は無事に終わる。

安倍・菅政権の今までのコロナ対策を正しく理解すれば簡単に理解できる。

売春を目的として渡航しようとする婦女は「必ず同一戸籍内にある最近尊族親、尊族親なきときは戸主の承認を得て」「本人自ら警察に出頭して身分証明の発給を申請」しなければならなかった。

慰安婦は日本軍慰安所売春婦・韓国自称元慰安婦たちは私娼の妓生

身分証明書を所持した娼婦は公娼である。申請しないで身分証明書を持たない娼婦が違法売春婦の私娼である。

韓国の妓生は私娼であった。

公娼の中で日本軍が設置した慰安所で働く娼婦が慰安婦である。

韓国の自称元慰安婦たちは慰安所に入る手続きをした証拠を提示していないし、体験談でも手続したことを話していない。手続きをしないで娼婦になったのが自称慰安婦たちである。

彼女たちが日本兵を相手にした場所は慰安所ではなく、民間の売春宿であったことは確実である。娼妓取締規則、慰安婦制度について正しく理解していれば自称元慰安婦たちが慰安婦でなかったことはすぐに分かる。ところが彼女たちが慰安婦でなかったことを指摘する専門家がまだ居ない。考えられないことである。

「慰安婦は性奴隷」論をつくり上げたのは日本である。日本がこの問題を根本から解決するべきである。「慰安婦は売春婦」にとどまらず「自称元慰安婦は慰安婦ではなく朝鮮私娼であった」を日本は説明していくべきだ。

日本が世界に誇れる慰安婦制度

日本軍の慰安婦制度は娼妓取締規則を日本軍用に制度化したものである。慰安婦制度を理解するには娼妓取締規則の成り立ちを知る必要がある。

江戸幕府を倒した明治政府は日本を四民平等と法治主義の国にした。このことは小学校の時から学んでいる。

四民平等の象徴として福沢諭吉の、「天は人の上に人をつくらず。人の下に人をつくらず」がある。四民平等の日本政府の軍隊が性奴隷制度をつくるはずがない。慰安婦研究の第一研究者と言われている吉見義明中央大学名誉教授は日本の教育を受けていないのではないかと思わざるを得ない。

私が慰安婦問題に興味を持ったのは、２０１３年に橋下徹大阪市長が米国では慰安婦を sex slave＝性奴隷と言っていると発言したからである。明治に四民平等で始まった日本である。売春婦の性奴隷はあり得ないと思って調べた。予想通り明治政府は売春婦を性奴隷から解放していた。そのことを「少女慰安婦像は韓国の恥である」で書いた。

明治になって遊女は奴隷制度から解放される

明治時代になって、遊郭はさらなる発展を遂げるようになった。横浜では外人目当ての遊郭が生まれ、政府は会津征伐の軍資金五万両を業者に出させ、代わりに築地鉄砲洲遊郭の設置を許可したりもした。

明治維新ののち、一八七二年（明治六年）十二月、公娼取締規則が施行された。警保寮から貸座敷渡世規則と娼妓渡世規則が発令された。のちに公娼取締規則は地方長官にその権限がうつり、各地方の特状により取締規則が制定された。

たとえば東京では、一八八二年（明治一五年）四月、警察令で娼妓渡世をしようとする者は父母および最近親族（が居ない場合は確かな証人二人）から出願しなければ許可しないとした。

やがて群馬県では県議会決議によって、全国で初めて公娼そのものを全面的に禁止する条例が可決された。現在の売春禁止法である。

遊郭を奴隷制度だと非難し、改革させるきっかけになったのがマリア・ルス号事件であった。マリア・ルス号事件をきっかけに明治政府は遊女を奴隷制度から解放する。

マリア・ルス号事件

一八七二年(明治五年)七月九日、中国の澳門からペルーに向かっていたペルー船籍のマリア・ルス号が横浜港に修理の為に入港してきた。同船には清国人(中国人)苦力(クーリー)二三一名が乗船していたが、数日後過酷な待遇から逃れる為に一人の清国人が海へ逃亡しイギリス軍艦(アイアンデューク号)が救助した。そのためイギリスはマリア・ルス号を「奴隷運搬船」と判断しイギリス在日公使は日本政府に対し清国人救助を要請した。

知っている通り明治政府は四民平等を宣言した。四民平等は奴隷制度を否定している。そのため当時の副島種臣外務卿(外務大臣)は大江卓神奈川県権令(県副知事)に清国人救助を命じた。しかし、日本とペルーの間では当時二国間条約が締結されていなかった。このため政府内には国際紛争をペルーとの間で引き起こすと国際関係上不利であるとの意見もあったが、副島は「人道主義」と「日本の主権独立」を主張し、マリア・ルス号に乗船している清国人救出のため法手続きを決定した。

マリア・ルス号は横浜港からの出航停止を命じられ、七月十九日(八月二十二日)に清国人全員を下船させた。マリア・ルス号の船長は訴追され、神奈川県庁に設置された大江卓を裁判長とする特設裁判所は七月二十七日(八月三十日)の判決で清国人の解放を条件にマリア・ルス号の出航許可を与えた。だが船長は判決を不服としたうえ清国人の「移民契約」履行請求の訴えを起こし清国人をマリア・ルス号に戻すように訴えた。

この訴えに対し二度目の裁判では移民契約の内容は奴隷契約であり、人道に反するものであるから無効であるとして却下した。ところが、この裁判の審議で船長側弁護人(イギリス人)が、

「日本が奴隷契約が無効であるというなら、日本においてもっとも酷い奴隷契約が有効に認められて、悲惨な生活をなしつつあるではないか。それは遊女の約定である」

として遊女の年季証文の写しと横浜病院医治報告書を提出した。

その頃の遊女は親の借金のかた=抵当として遊女にさせられ、利子代わりつまり無報酬で働かされていた。親が借金を返すまでは遊郭から出ることはで

きなかった。貧しい親に借金を返済することはできるはずもなく、遊女は一生解放されなかった。それは奴隷同然であり、船長側弁護人の政府批判に明治政府は反論できなかった。痛いところを突かれた明治政府は公娼制度を廃止せざるを得なくなり、同年十月に芸娼妓解放令が出され、娼婦は自由であるということになった。

この驚くべき事実をほとんどの人が知らないようである。

裁判により、清国人は解放され清国へ九月ー三日（十月十五日）に帰国した。清国政府は日本の友情的行動への謝意を表明した。

明治政府は士農工商の身分制度を廃止して四民平等の社会にした。それは奴隷制度の否定でもある。だから、奴隷である清国人（中国人）苦力二三一名を解放したのだ。しかし、奴隷制度を否定している日本が遊女を奴隷にしていると指摘された。そのために明治政府は公娼制度を廃止し、同年十月に遊郭の娼婦たちを自由にする芸娼妓解放令を出さざるを得なくなった。明治政府は一時的ではあるが遊女を完全に自由にしたのである。

明治政府は四民平等政策を推し進めていっていったが、売春禁止はやらなかった。四民平等といっても日本はまだまだ男尊女卑の社会だった。それに遊郭からの税収は莫大であったから政府としては簡単に遊郭をやめるわけにはいかなかった。芸娼妓解放令を出した明治政府であったが、遊郭を存続させたいのが本音だったのである。また、遊女を自由にしてしまうといたるところで売春ができることになり、それでは世の中が乱れてしまう。四民平等＝奴隷否定と遊郭の問題で明治政府は苦心する。

明治五年に遊郭の遊女は奴隷であると指摘されて芸娼妓解放令を出してから二十八年間試行錯誤を積み重ねていった明治政府は明治三十三年に「娼妓取締規則」を制定するのである。

一八八九年（明治二十二年）、内務大臣から、訓令で、これより娼妓渡世は十六歳未満の者には許可しないと布告された。

一八九一年（明治二十四年）十二月までは士族の女子は娼妓稼業ができなかったが、内務大臣訓令によりこれを許可するとした。
一九〇〇年（明治三十三年）五月、内務大臣訓令により、十八歳未満の者には娼妓稼業を許可しないと改正された。
一九〇〇年（明治三十三年）十月、内務省令第四十四号をもって、娼妓取締規則が施行された。これによって、各府県を通じて制度が全国的に統一された。

昭和四年には、全国五一一箇所の遊廓において貸座敷を営業する者は一万一一五四人、娼妓は五万五十六人、遊客の総数は一箇年に二二七八万四七九〇人、その揚代は七二二三万五四〇〇円であった。

マリア・ルス号事件を体験した明治政府が「娼妓取締規則」を作るにあたって、最も注意を払ったのは公娼は本人の自由意志で決める職業であり奴隷ではないということであった。そのことを示しているのが娼妓取締規則の条文にある。

第三条に、娼妓名簿に登録する時は本人が自ら警察官署に出頭し、左の事項を書いた書面を申請しなければならないと書いてある。娼妓になるのは強制ではなく本人の意思であることを警察に表明しなければならなかったのである。

第十二条に、何人であっても娼妓の通信、面接、文書の閲読、物件の所持、購買其の外の自由を妨害してはならないと書いてある。娼妓の自由を保障している。

第十三条の六項では、本人の意に反して強引に娼妓名簿の登録申請又は登録削除申請をさせた者を罰すると書いてある。

娼妓の住まいを限定する一方で行動の自由を保障しているから娼妓は奴隷ではないと明治政府は主張したのである。娼妓が奴隷ではないということは四民平等を宣言した明治政府にとって近代国家として世界に認められるかどうかの深刻な問題であった。

多くの評論家が、明治政府が売春婦を性奴隷にさせないために「娼妓取締規則」を制定したという肝心な事実を軽視している。

「彼女は慰安婦ではない　違法少女売春婦だ

少女慰安婦像は韓国の恥である」

慰安所の慰安婦制度

慰安婦が性奴隷だったのかそれとも売春婦だったのかを問題にする前に慰安所のシステムを知ることは重要である。慰安婦研究の第一研究者吉見義明中央大学名誉教授が指摘している通り慰安所は日本軍が設置した。そして、値段や慰安婦が働く時間など慰安所のシステムは日本軍が設定した。

フィリピン駐屯軍の慰安所のシステムについて『従軍慰安婦資料集』(韓国・書文堂)には次のように記録している。

日曜日・連帯本部、連帯直轄部隊
月曜日・第一大隊、第四野戦病院
火曜日　休日
水曜日・連帯本部、連帯直轄部隊、第三大隊
木曜日・第一大隊(ただし午前中は健康診断後にする)
金曜日・第二大隊、第四野戦病院
土曜日・第三大隊

それぞれの部隊が慰安所に行く日は振り分けられていた。そして、兵士が慰安所に行くのは月に一度と決められていた。

慰安婦は週に一度火曜日を休日にしていた。

フィリピン駐屯軍・南地区師営内特殊慰安所利用規則

兵士

	(朝鮮人・日本人)	(中国人)
三十分	一円五十銭	一円
一時間	二円	一円五十銭

下士官

	(朝鮮人・日本人)	(中国人)
三十分	一円五十銭	一円
一時間	二円五十銭	二円

将校及び准士官

	(朝鮮人・日本人)	(中国人)
一時間	三円	二円五十銭
徹夜利用(二十四時から)	十円	七円
徹夜利用(二十二時から)	十五円	十円

利用時間
兵士　十時から十六時まで
下士官　十六時十分から十八時四十分まで
将校・准士官　十八時五十分以降

軍属はそれぞれの地位によって時間と所定料金が決まっていた。兵士は昼に限られ、時間も短い。将校になると深夜から朝まで慰安婦が相手をした。利用客は決められた料金を超過する金額を慰安所経営者または慰安婦に支払ってはならない規則もあった。

問題は慰安婦が性奴隷だったかそれとも売春婦だったかである。吉見教授は日本軍が女性を強制連行して性奴隷にしたと主張している。慰安婦が性奴隷ならば慰安婦には収入がないことになる。しかし、兵士から将校まで金額は決まっていてちゃんと払っている。日本兵にとって慰安婦は売春婦であったことは明らかである。もし、支払われたお金が業者と日本軍が搾取して、慰安婦にはお金をあげなかったら慰安婦は性奴隷であったが、日本軍が搾取したという情報はない。吉見教授は日本軍が女性を「性奴隷」にした制度を運営していたと主張しているが、慰安所利用規則を見れば日本軍は慰安婦を売春婦としていることが明白である。性奴隷であることはあり得ないことである。

日本軍は曜日ごとに慰安所に来る部隊を振り分けている。理由は集中と閑散となることを避けて慰安所に来る兵士を平均的にするのが目的である。吉見教授は日本軍が慰安所を直接管理し、規則を業者に強制していたと批判するが、慰安所が混乱やトラブルを起こさないためには日本軍の管理と調整なしにはできなかった。日本軍が慰安所を直接管理したのは慰安所の運営がスムーズに行われることが目的であった。

慰安婦であったと最初に名乗り出た金学順は中国にある慰安所に入った。歩哨の目を盗んで朝鮮人の男が寝に来たと言い、朝鮮人に無理に頼んで夜中に脱出して男と中国で暮らしたと証言している。寝に来たということは業者に料金を支払って「寝に来た」のである。日本軍が管理していた慰安所は日本兵のみを対象としたものであった。兵士１００人に慰安婦１人の割合であったから日本兵でスケジュールが埋まっていたはずである。それに慰安所に入るには業者による確認があった。慰安所に朝鮮人が紛れ込むことはできなかった。金学順が入っていた慰安所は日本軍が管理していた慰安所ではなかった。

金学順は兵士達が1円50銭、将校達が泊まりの時は8円を出していたという話を聞いたが、自分が軍人達からお金を受け取ったことはなかったと証言している。日本兵は料金を払ったのだから日本兵にとっては金学順は売春婦だったのである。彼女が報酬をもらわなかったのは日本軍の責任ではなく彼女を抱えていた業者の責任である。金学順を性奴隷にしたのは日本軍ではなく業者であり、金学順は慰安婦ではなかった。ところが日本の識者たちは金学順が入った所は慰安所であり、彼女が慰安婦であったことを認めている。そんなことでは慰安婦は性奴隷ではなかったことを証明することはできない。

金学順は妓生(キーセン)だった。慰安婦ではなかった。金学順が居た所は慰安所ではなかった。朝鮮人の妓生館であったことを解明してれば「慰安婦は性奴隷」は否定されていた。

日本軍が慰安所を設置した目的は性病に感染するのを防ぐためであった。日本には娼婦取締規則という法律があり、日本軍は娼婦取締規則を遵守する義務があった。慰安婦には報酬、休暇をあげ。兵士には料金支払い、サック着用の義務を課したのが慰安婦制度である。それに加えて日本兵の婦女暴行を防ぐのも目的だった。慰安婦制度の効果で日本兵による婦女暴行は他国の軍隊に比べて非常に少なかった。

吉見教授は､「国家による組織的な売春システムを運営したのは日本のみである」と述べている。吉見教授のいう通りである。慰安婦制度は日本のみであった。

日本はアジアで初めて四民平等によって奴隷制度を廃止した国であったが、遊女は売買されて奴隷であるとイギリスの弁護士に指摘された。明治政府は、遊女の売買を禁止し、奴隷から解放した娼妓取締規則を制定した。戦前のアジアはほとんどの国が性奴隷制度が存在していた。日本軍の慰安婦制度だけが唯一売春婦の制度だった。

慰安婦制度によって性奴隷を排除したこと、日本兵による婦女暴行を抑止したことは世界に誇ることができる日本独自の慰安婦制度である。

3月22日

妓生(性奴隷)を慰安婦に仕立て上げた日本人記者と歴史学者

慰安婦=性奴隷の理論は1991年の朝日新聞の「元朝鮮人慰安婦　戦後半世紀　重い口を開く」をきっかけにに始まった

元朝鮮人従軍慰安婦
戦後半世紀 重い口開く
思い出すと今も涙
韓国の団体聞き取り

記事は植村隆記者がスクープとして掲載したものだった。

日中戦争や第二次大戦の際、「女子挺身隊」の名で戦場に連行され、日本軍人相手に売春行為を強いられた「朝鮮人従軍慰安婦」のうち、一人がソウル市内に生存していることがわかり、女性は「思い出すと今でも身の毛がよだつ」と語っている。女性の話によると、中国東北部で生まれ、十七歳の時、だまされて慰安婦にされた。二、三百人の部隊がいる中国南部の慰安所に連れて行かれた。

という内容の記事だった。女性とは金学順である。金学順は記者会見をして、15歳の時に妓生学校に売られ、17歳の時に養父に中国に連れられて行って「慰安所」に入れられたと話した。金学順は「女子挺身隊」のことは話していないし、韓国から中国に連れて行ったのは妓生業者である。植村記者の記事は妓生を慰安婦にでっち上げたものであった。

1992年には吉見義明中央大学名誉教授が慰安婦を日本軍が強制連行し、管理したと発表した。慰安婦は性奴隷であると主張した学者である。

吉見教授は１９９１年１２月に金学順たちが補償を請求して提訴した裁判で慰安婦が性奴隷であったと主張した。吉田教授の鎮出記録である。

○（原告）金田きみ子さん（仮名）の証言について。

▼証言によると中国北部、天津、棗強、平原、石家荘などを語っておられ、移動慰安所の「慰安婦」だったと考えられる。信ぴょう性を高めるものとして、金田さんは慰安所生活の苦しさで、アヘン中毒になったといっている。麻薬、アヘンの使用は軍公文書にもあり、軍人の証言でも確認される。

※慰安婦は軍隊と一緒に移動する。第三十二軍が中国から沖縄に移動すると慰安婦も一緒に移動してきた。慰安婦が軍隊から軍隊に移動することはない。金田きみ子は慰安婦ではなく私娼の妓生だっただろう。金田きみ子はアヘン中毒ではあったが慰安婦ではなかった。

○（原告）文玉珠（ムン・オクチュ）さんについて。

▼一度は１９４０年、中国、二度目はビルマと証言されている。この方が軍事郵便貯金をし、その原簿が熊本に残っていて、もっとも強い根拠となっている。同貯金をしていたことからも、「慰安婦」が軍属に準ずる待遇だったことがわかる。

※文玉珠は貯金をしている。報酬をもらっていた証拠である。それに慰安婦を一度は辞めている。慰安婦は報酬があり辞めることもできた。性奴隷ではなかった証拠である。

吉田教授は裁判で慰安婦が性奴隷であった証拠を示していない。日本軍が慰安婦を管理していたことを示しただけである。それなのに性奴隷であったと主張する。

朝日新聞記者の植村隆記者と吉見義明教授によって「慰安婦は性奴隷」のきっかけがつくられ、１９９３年に弁護士連合会は慰安婦は軍事的性的奴隷だったと会長声明を出し、国連に慰安婦は性奴隷だったと認めさせた。韓国の挺隊協は元慰安婦を名乗る女性を集めていった。

残念ながら妓生であった金学順を慰安婦にでっちあげた事実を指摘するジャーナリスト、学者は一人もいないようである。

2月16日

彼女たちは全員元慰安婦ではない
朝鮮の性奴隷元妓生である

慰安婦は日本軍が管理していた公娼であり、給料、休日が保証されていた売春婦であった。慰安婦は軍隊とともに移動していた。借金を返済すれぎ辞めることもできた。売買される韓国の妓生とは違っていた。

元慰安婦を名乗る女性たちは全員元妓生である。元慰安婦ではない。彼女たちは元慰安婦であり性奴隷であったと証言しているが、実は彼女たちの証言そのものが元慰安婦ではなく元妓生であったことを証明している。私たちはこのことに気づくべきである。日韓併合前の韓国は封建国家であり、奴隷制度が存在していた。妓生は性奴隷であった。妓生は主の私有財産であり自由に売買された。妓生は13歳から性奴隷にされていた。これは歴史的事実である。

1　金学順（キム・ハクスン）

1991年に自ら元慰安婦として名乗り出て多くの発言をした女性である。元慰安婦を名乗ったが韓国挺身隊問題対策協議会の調査発表では金学順が慰安婦ではなく妓生であったことを証明している。

金学順は15歳の時(1939年)に妓生巻番に40円で売られたと記してある。彼女は親に売られて妓生になったのである。朝鮮には奴隷制度があり、妓生とは朝鮮社会では性奴隷のことであった。奴隷になると金銭売買され、奴隷世界から抜け出すことはできない。金学順は1941年の17歳の時に養父という名の妓生の業者に中国に連れていかれ、中国の業者に売られた。挺隊協は「妓生学校を卒業するが年齢が足りず妓生になれず」と記してあるが、挺隊協のいう妓生とは芸を見せる妓生のことである。日本では芸妓という。芸のうまい妓生は芸を見せる妓生になるが、芸の下手な妓生は性奴隷になる。「年齢が足りず」は嘘である。2年間芸を教えたが上達しなかった。金学順は芸がなく性奴隷の妓生になったのである。芸のない金学順は中国で売られて性奴隷にさせられたのである。「年齢が足りず妓生になれず」ではなく芸が下手だから性奴隷の妓生になったのである。

韓国女性が慰安婦になるには韓国で日本軍が指定した楼主に申し込まなければならない。そして、韓国で満州やアジアの日本軍への配置が決まる。目的の場所へ楼主が連れていく。しかし、金学順は養父に中国に連れていかれた。彼女は明らかに慰安婦ではない。中国で性奴隷として売られたのである。

金学順は歩哨の目を盗んできて寝に来た朝鮮人に、無理に頼んで夜中に脱出したというが、慰安所に日本兵ではない朝鮮人が侵入してくるのはあり得ないことである。性奴隷から抜けるには自殺するか逃げ出すかである。中国だから脱出に成功した。韓国内であったら捕まっていただろう。

慰安婦は辞めたければ自由に辞めることができる。脱出したのは妓生だったからである。

2金福童(キム・ポクトン)

金福童は14歳に慰安婦させられたと証言している。14歳では慰安婦にはなれない。韓国で慰安婦になるには17歳以上でなければならない。慰安婦になるには両親の承諾や年齢を書いた書類を提出しなければならない。書類を点検するのは軍隊の警察である憲兵である。年齢のごまかしはできない。

性奴隷制度があった朝鮮では妓生は13歳から性奴隷にさせられていた。金福童が14歳で慰安婦にさせられたというが本当は妓生にさせられたのである。日本兵相手だからといって慰安婦と決めつけるのは間違っている。慰安婦募集に応じて書類提出をして慰安所に配置された女性だけが慰安婦である。金福童は日本兵相手の妓生であった。

3李容洙(イ・ヨンス)

1944年に慰安婦として連れていかれて、1947年まで慰安所で働かされて拷問も受けたというが、1945年に日本は敗戦し、戦争は終わった。慰安所もなくなった。戦争が終わっても慰安所にいたというのはあり得ないことである。李容洙は妓生であり、終戦後も妓生売春宿で働かされていたのだ。李容洙は妓生であり慰安婦ではなかったことを白状しているようなものだ。

4金君子(キム・グンシャ)

16歳のとき、ある巡査の家の養女となる。その養父に「お金を稼げる場所があるので行っておいで、稼げなかったら帰ってくればいいから」と言われて、家まで連れにきた朝鮮人二人と一緒に列車に乗って中国の琿春に連れて行かれて慰安婦となった。

慰安婦になるためには自分で警察に申し込み、書類をもらい、書類を楼主に提出する必要がある。楼主は憲兵に書類を提出する。慰安婦に決まったら楼主が慰安婦を集団で日本軍のトラックや船で慰安所に連れていく。

慰安婦にするために楼主が家に来ることはない。金君子の証言では朝鮮人が連れて行ったというがあり得ないことである。金君子は売られて妓生になったのである。

5ヒョン・ビョンスク

「朝鮮人業者と契約し慰安所を転々とした慰安婦の証言」でヒョン・ビョンスクは慰安婦であったが売春婦であり性奴隷ではなかっと主張している。

「中国に連れていかれた朝鮮人軍慰安婦2」(韓国挺身隊研究会著、ハンオル、２００３）に出てくるヒョン・ビョンスクの証言を取り上げて慰安婦は売春婦であったと主張している。親に売られて売春婦や慰安婦になるケースを取り上げ、慰安婦が売春婦であったことを説明しているが、彼女の証言から分かるのは彼女は妓生であり、慰安婦ではなかったことである。

慰安婦は日本軍が管理している売春婦のことである。民間の売春婦ではない。ところが日本兵を相手にする売春婦を全員慰安婦と考えているのが作者である。それは間違いである。

日本軍が慰安所を設置して日本兵だけを相手にする慰安婦を採用したのは日本兵に性病が蔓延するのを防ぐのが目的だった。性病になった者は兵士として使えないから戦力がダウンしてしまう。日本兵の性病を防ぐために慰安婦は月に一回医者による性病検査をした。性病が判明した慰安婦は休ませた。それに慰安婦は軍隊と一緒に移動した。沖縄戦になる前に大陸から沖縄に日本軍が移動してきたが、朝鮮人慰安婦も一緒に移動してきた。

ヒョン・ビョンスクはお金を稼いで、父と母にあげるために売春婦になろうと決心して、中国から女性を買いに来た男と交渉をした。２年で３０００ウォンの契約で彼女は中国に行った。彼女が慰安婦でないことは明白である。慰安婦なら交渉する相手は楼主である。楼主は日本軍と契約している売春業者である。楼主が契約している軍隊は決まっている。

だから、韓国でどの軍隊の慰安所に行くかは決まっている。彼女は民間の売春業者と中国に行ったから慰安婦ではない。

ヒョン・ビョンスクは１６歳で慰安婦になったと証言している。日本には娼妓取締規則という売春婦の法律があり、日本が統治するようになると韓国にも貸座敷取締規則という法律を制定した。日本は１８歳以上、韓国は１７歳以上でなければ売春婦になれない法律であった。日本軍が管理する慰安婦は法律順守に徹底していたから１７歳未満は慰安婦になれなかった。民間では１６歳でも妓生になれた。ヒョン・ビョンスクは慰安婦ではなく妓生になったのである。

慰安婦になるには父母や祖父母のハンコが必要であったと証言しているが、貸座敷取締規則には売春婦になるためには両親の許可がなければならないと制定している。ヒョン・ビョンスクがハンコをもらったのは売春婦になるための手続きであって慰安婦になるための手続きではなかった。

ヒョン・ビョンスクは中国の慰安所を転々としたと証言している。慰安婦は日本軍と一緒に移動するので慰安所を転々とすることはない。ヒョン・ビョンスクの居た慰安所には日本兵だけでなく普通の人も来たと証言している。慰安所は日本兵だけが来る。日本兵以外の人は入れない。ヒョン・ビョンスクが居たのは民間人が経営している売春宿であって慰安所ではなかった。

作者はヒョン・ビョンスクは売春婦であって性奴隷ではなかった。だから慰安婦は性奴隷ではなかったと主張しているが、彼女は３０００ウォンで自分を売ったと言っている。そして、別の業者に彼女は売られたとも言っている。自分から売ろうが、親に売られようが売られる売春婦を奴隷という。ヒョン・ビョンスクは妓生であり性奴隷だったのだ。売春婦ではなかった。

元慰安婦を名乗る女性たちは自分の口から慰安婦ではなく妓生であったと証言しているのである。

韓国の元慰安婦は一人も名乗り出ていない。報酬があり性奴隷ではなかったからだ。、

元慰安婦を名乗っている女性たちは全員元妓生である。そのことを見抜くことができない日本の学者やジャーナリストである。

妓生の李容洙を慰安婦に仕立て上げた韓国　それを見抜けない日本の愚かさ

慰安婦被害者とされる李容洙（イ・ヨンス、92）が記者会見を行った。長年、挺身隊、正義連の広告塔として活動してきたが、昨年には正義連元代表で国会議員の尹美香氏の悪事を暴露する会見を行い、その後、尹美香氏が起訴される事態に至った。今回の会見は正義連とは別の団体の支持を受け、「賠償はいらない、お金が目的ではない」として、「謝罪と国際裁判での決着」を訴えた

李容洙は元日本軍慰安婦だったと主張する女性である。韓国挺身隊問題対策協議会：略称 艇対協（現在の日本軍性奴隷制問題解決のための正義記憶連帯：略称 正義連）の支援で、韓国国内はもとより、アメリカ合衆国下院121号決議や女性国際戦犯法廷など、国際社会への発信活動においても中心的役割を果たした女性である。

２０１７年に韓国を訪問したトランプ米大統領と韓国大統領府で晩餐会で抱き合ってあいさつした。李容洙にはホワイトハウスの女性スタッフと同じテーブルの席が用意された。

李は長年、挺身隊、正義連の広告塔として活動してきた。慰安婦被害者として文大統領も重宝している。

2018年8月14日の最初の「日本軍慰安婦被害者をたたえる日」の式典に出席し、文在寅大統領に手を引かれてニコニコして車いすに乗っていた。

李容洙は元慰安婦として活躍している。しかし、彼女は元慰安婦ではない。元妓生である。妓生だった李容洙は慰安婦を装って日本に謝罪を要求しているのである。

産経新聞は李容洙を〝フェイク慰安婦〟などと呼ぶ声もあがっていると述べ、慰安婦として疑わしいと述べている。理由は李が慰安婦にさせられたという証言が何回も変わったからである。

李は「国民服を来た日本人の男から、ワンピースと革靴をもらってうれしくてついて行った」と話していたが「日本の軍服を着た男らが家にやってきて、男から何かとがったものを背中に突きつけられ船に乗せられて行った」と“軍による強制連行”を主張する内容に変更している。内容を変更していることから信憑性がないことを産経新聞は指摘している。

産経新聞の指摘は的が外れている。李が慰安婦にさせられたという話がコロコロ変わるから慰安婦ではなかったのではないかと疑うのは産経新聞が慰安婦についての正しい認識が欠落しているからである。李の話は最初から慰安婦ではなく妓生であったことを証言している。李の話は慰安婦になった話がコロコロかわったのではなく、妓生になった話がコロコロ変わったのである。産経新聞や日本のジャーナリスト、学者はそのことに気づいていない。

日本軍は娼妓取締規則に則って慰安婦制度を制定

した。慰安婦になるには両親の了解を得ること、１７歳以上であることなどが条件である。

　李容洙の証言に信憑性があるなしにかかわらず彼女の証言すべてが彼女が慰安婦ではなかったことを明らかにしている。彼女の証言を列挙する。

李容洙の証言

「１９４４年夏のある日、酒屋をやっていた友達（キムプンスン）のお母さんが「今のような苦しい生活をしている必要はないじゃないか。私の言うところに行けばご飯がたくさん食べられ、豊かな生活ができる」と言いました。ですが私は「嫌だ」と言って飛び出て来ました。

　それから何日かたったある日の明け方、キムプンスンが私の家の窓をたたきながら「そうっと出ておいで」と小声で言いました。私は足音をしのばせてそろそろとプンスンが言う通りに出て行きました。母にも何も言わないで、そのままプンスンの後について行きました。～（中略）～行ってみると川のほとりで見かけた日本人の男の人が立っていました。その男の人は四十歳ちょっと前ぐらいに見えました。国民服に戦闘帽をかぶっていました。その人は私に包みを渡しながら、中にワンピースと革靴が入っていると言いました。～（中略）～それをもらって、幼心にどんなに嬉しかったかわかりません。もう他のことは考えもしないで即座について行くことにしました。大邱から私たちを連れて来た男が慰安所の経営者でした。」

『証言・強制連行された朝鮮人軍慰安婦たち』

※李容洙は誘拐されたのである。正式な慰安婦になるための書類のない李が慰安婦になれるはずがない。慰安婦の面倒をみるのは楼主であり、楼主が慰安所の経営者になることはない。李は誘拐され妓生にさせられたのである。

　１９４４年秋（満１６歳）貧乏な様子におばさんから働けと勧められ、「軍服みたいな服を着た男」（国民服に戦闘帽の男の日本人）に服と靴で釣られて働けるものとついて行った。大連から船に乗った。

※１７歳未満は慰安婦になれない。

　１９４５年（１７歳）新暦の正月、爆撃下の船上で強姦される。台湾の新竹に到着したが股に腫れ物ができて血がべったりついていて歩けない。嫌だと言うと慰安所の経営者に電話線のコード巻き付けられ拷問された。トシコという名で主に特攻隊の相手をした、その際に性病を移された。

※日本軍が慰安婦制度を制定した目的は女性が乱暴され不当な扱いを受けたり、性病が蔓延するのを防ぐことだった。李が受けた乱暴は慰安婦であれば受けなかった。日本軍は性病を防ぐためにサックをつけることを義務にしていた。性病を移されたのはサックをしていなかったからである。李が慰安婦ではなく、性奴隷の妓生であったことは確実である。

２００２年６月２６日の「しんぶん赤旗」では「１４歳で銃剣をつき付けられて連れてこられた」「拒むと殴られ、電気による拷問を受けて死にかけた」と証言している。

※赤旗も李容洙が慰安婦ではなく妓生であったことを報道した。

２００７年「１６歳の時に強制連行され、２年間日本兵の慰安婦をさせられた」「日本兵に足をメッタ切りにされ、電気による拷問を受けた」。

２０１１年「１５歳の時に台湾の神風部隊に連れて行かれあらゆる拷問に遭いほとんど死ぬところだった。一緒に連れて行かれた他の女性２人は死んだ。」。

慰安所では起こるはずがない誘拐、報酬無し、拷問を体験した李容洙である。李容洙は「被害者たちに自分の考えで身を売ったという意味を持つ，慰安婦，という呼称は当然しない」と話している。彼女のいう通り彼女は慰安婦ではなかった。性奴隷の妓生であった。

産経新聞は李容洙を〃フェイク慰安婦〃ではないかと疑っているが、慰安婦ではないと断言することはしないし、彼女が妓生であるとは考えていない。それが日本の決定的な欠点である。慰安婦は性奴隷ではなかった。売春婦だったと主張しても性奴隷であったと名乗る自称元慰安婦がいる限り元慰安婦＝売春婦は否定される。自称元慰安婦たちが性奴隷であったことを認めることが最も重要なポイントである。彼女たちは性奴隷であった。だから慰安婦ではなかった。妓生であったと主張するのである。

自称元慰安婦たちが元妓生であったことを１９９０年代から指摘していれば慰安婦＝性奴隷が拡大することはなかっただろう。

慰安婦=性奴隷は左翼が自民党政府を批判するためにでっち上げた

慰安婦問題は慰安婦=売春婦VS慰安婦=性奴隷の歴史学上の問題である。国連で慰安婦=性奴隷が容認され、世界の多くの学者も慰安婦=性奴隷だと認識している。慰安婦=性奴隷が定着している中でラムザイヤー教授の「慰安婦は売春婦」論文が発表された。世界の学者はラムザイヤー教授論文を批判した。

（1）朝鮮人女性が周旋業者・経営者と交わした契約書をラムザイヤー教授が入手していないと非難。

（2）朝鮮人慰安婦の契約書以外の資料的裏付けがない。

（3）学問的自由とは責任を伴うものであり、事実に関する主張は適切な証拠に基づいたものでなければならない。

ラムザイヤー教授の論文を読んだ早大教授・有馬哲夫氏はラムザイヤー教授の論文は日本学者でさえ解読するのが困難な旧日本軍の公文書を解読し、豊富な資料によって作成された論文であると説明している。批判に対しては丁寧に反論している。だが、慰安婦問題の根本は売春婦か性奴隷にあるのではない。売春婦であった慰安婦を性奴隷にでっち上げたことである。でっち上げたのはある目的があったからである。

日本帝国主義・軍国主義は植民地支配と侵略戦争による反人類犯罪行為をしたと日本軍批判をするために慰安婦=性奴隷をでっちあげたのである。日本軍批判では終わらない。それを故科挙に自民党批判を展開する。

慰安婦=性奴隷でっちあげは最終的に自民党政府を批判するのが目的である。

ラムザイヤー教授の慰安婦=売春婦は慰安婦=性奴隷を否定するものであり、自民党政府批判の目的を崩すものである。

有馬教授は学問の問題と考えてラムザイヤー教授批判に対して反論しているが、「慰安婦=性奴隷」をでっあげた連中は有馬教授の反論を完全無視する。相手にしない。彼らにとってラムザイヤー教授の「慰安婦=売春婦」は反論してどっちが正しいかを争う対象ではない。反論すれば相手が反論してくるだろう。論争になれば市民にとって売春婦と性奴隷の二つが存在してしまう。それではまずい。学問の世界では論争を展開すればいいが、政治の世界では慰安婦＝売春婦を潰して慰安婦＝性奴隷だけにしなければならない。

「慰安婦＝性奴隷」派はラムザイヤー教授を潰しにかかった。日本１６、韓国１８、中国５の３９団体がラムザイヤー教授の論文の撤回を求める声明を発表したのである。撤回声明に中国が参加したのである。この団体が左翼団体であることは確実である。

韓国の「アジアの平和と歴史教育連帯」、日本の「子どもと教科書全国ネット２１」、中国の「上海師範大学中国『慰安婦』問題研究中心」の３団体が協議して撤回要求文を作成した。団体名から分かるように3団体は学問専門の団体ではない。韓国と日本は「慰安婦＝性奴隷」と決めつけている教育団体である。中国慰安婦研究団体ではあるが慰安婦＝性奴隷の結論ありきの団体である。3団体はラムザイヤー教授論文に対する反論文を作成したのではなく撤回を要求する文を作成したのである。

一教授の論文に対して３カ国の３９団体が撤回を求めたのである。ラムザイヤー教授は旧日本軍の慰安所に居た慰安婦に関する多くの資料を集め、分析した結果、慰安婦は売春婦であったという結論に至った。「旧日本軍の慰安婦は売春婦」は研究の成果であり、学問の論文である。一教授の研究成果の論文に対して別の学者が反論するのは理解できるが撤回を要求するのは表現の自由に反することでありあってはならないことである。しかも、撤回要求をやったのは慰安婦研究をしている学者ではない。韓国は「アジアの平和と歴史教育連帯」、日本は日本の「子どもと教科書全国ネット２１」という教育団体である。教育団体が慰安婦問題を専門に研究している大学教授の論文に反論ではなく撤回を要求したのだ。

撤回要求団体が政治団体であることは声明文に表れている。声明文で、「ラムザイヤー事態」は「日本が近代国家・帝国を建設し、植民地支配と侵略戦争を起こすなかで犯した人種主義と植民地主義、そして人権蹂躙に対し、根本的な反省を行ってこなかったために引き起こされた必然的な現象」だと主張している。撤回要求団体が指摘する通り日本は帝国主義国家であったし植民地支配、侵略戦争を起こした。

しかし、ラムザイヤー教授が問題にしたのは日本軍が設置した慰安所の慰安婦一点に絞って研究したのである。慰安婦＝売春婦が日本の軍国主義、植民地主義を否定することにはならない。

日本は台湾を植民地にしたし、韓国を統治し、満州や東南アジアを日本軍は支配していった。慰安婦が売春婦であったとしても日本が植民地主義であったことを否定することはない。ところが撤回要求団体は日本の植民地主義への根本的な反省がなかったからラムザイヤー教授の慰安婦＝売春婦の理論が生まれる事態になったというのである。植民地主義への根本的な反省があれば慰安婦＝売春婦の理論は生まれなかったというのが撤退要求団体の考えである。

日本政府は１９９３年の「河野談話」で旧日本軍慰安婦の強制連行を認めたが、その後に軍と官憲による強制動員の証拠はないという論理で談話を無力化しようとしたと撤退要求団体は述べ、日本政府のこうした対応により、ラムザイヤー氏の主張が学問の自由という美名の下で学術誌に掲載される事態が起きたと主張している。日本軍が強制連行したという証拠がないことは資料によってすでに明らかになっている。１９９２年に強制連行があったと主張していた慰安婦研究の第一人者である吉田教授も現在は強制連行はなかったことを認めている。「学問の自由という美名」ではなく歴史的真実の追及によってラムザイヤー教授の慰安婦＝売春婦論を学術誌に掲載する事態が起きたのである。

慰安婦＝性奴隷は日本政府を批判し謝罪を求める口実になっている。しかし、ラムザイヤー教授の慰安婦＝売春婦が正しいということになれば日本政府に謝罪を求めることができなくなってしまう。撤退要求団体にとって慰安婦＝性奴隷は絶対に正しくなければならない。ラムザイヤー教授の慰安婦＝売春婦論は排除しなければならない存在である。

自民党が与党であり日本政府は自民党政府である。だから左翼は慰安婦問題を反政府運動にしていくのである。日本左翼の温床は日教組と自治労である。文科省の官僚も左翼勢力が強い。そして、学者、弁護士も左翼の温床となっている。韓国は日本の何倍も教員、公務員、官僚、学者の左翼勢力は強い。

朝日などの左翼メディアと左翼勢力による自民党政府批判のために作り上げられたのが慰安婦＝性奴隷である。自民党政府批判を展開することができなかったら慰安婦＝性奴隷をでっちあげることはしなかっただろう。

元慰安婦を自民党政府批判に利用していることが分かる事実がある。。元慰安婦は頻繁に来日して国会や左翼の集会で講演をした。二〇一三年五月に韓国の元慰安婦二人が来日した。二人の内の金福童(キム・ポクトン・八十七)さんは来沖し、「五・十五平和とくらしを守る県民大会」で講演をやった

「幼い少女が夢を花開くこともできず(日本軍の)性奴隷となり、踏みにじられたことを考えてほしい」

「朝から夕方まで、一日に何十人もの兵士の相手をしなければならなかった。そんな生活を八年強いられた。このような少女がいたことを皆さんは知っていたか」と問うと、会場は静まり返り、聴衆は鎮痛な面持ちで舞台を見詰めた。

「日本の政治家が憲法を変え、戦争ができる国にしようとしている。皆さん、頑張って声をあげ、平和な国をつくってほしい」と手を振り上げて訴えると、会場からひときわ大きな拍手が沸き起こった。

琉球新報

金さんは日本の侵略戦争のために慰安婦として筆舌しがたい屈辱の体験をしたと話した。しかし、慰安婦を体験したからと言って、「日本の政治家が憲法を変え、戦争ができる国にしようとしている」という金さんの主張はおかしい。現在の日本の政治を批判するのに戦時中の慰安婦体験は役に立たない。戦前の日本と戦後の日本は違う国家になっている。戦後の日本は国民主権の国であり、民主主義国家である。自衛隊はシビリアンコントロールしている。民主主義国家日本が軍国主義国家になることはない。自衛隊が軍隊になったからといって戦争をすることはない。それなのに金さんは「日本の政治家が憲法を変え、戦争ができる国にしようとしている」と訴えるのである。年老いた元慰安婦がそんな考えをするはずがない。金さんが左翼にマインドコントロールされているのは確実である。

元妓生を元慰安婦にでっち上げたのは彼女たちを利用して自民党政府を批判するためであった。無理(政治策略)が通れば道理(学問)が引っ込んだのが慰安婦問題である。

左翼は連携プレーで無理を通して慰安婦を性奴隷にでっち上げたのである。自民党政府を批判し、左翼勢力を拡大するために。

慰安婦問題で明らかになった日本の右翼、非左翼のお粗末さ

左翼は見事な連係プレーで「慰安婦は性奴隷」をでっち上げた。「慰安婦は性奴隷」の嘘は国連も容認し、世界に拡大していった。「慰安婦は性奴隷」は嘘であるとする決定的な理論は日本でまだ登場していない。慰安婦は性奴隷ではなかった。売春婦であったという発表はいくつかあった。慰安婦が楽しそうにしている写真も掲載された。しかし、体験記や伝聞などであり、「慰安婦は性奴隷」論を覆すことができるような論文はなかった。

２０１４年にジャーナリストの櫻井よし子氏は植村氏が「女子挺身隊」の名で戦場に連行したという記事は捏造であると断定する評論を書いた。西岡力教授も９２年頃から植村氏の記事は金さんが女子挺身隊の名で戦場に強制連行されたという、事実とは異なる記事をあえて書いたと発表していった。植村氏は二人を提訴した。そして、植村氏は敗訴した。

西岡氏と櫻井氏の女子挺身隊の名で戦場に連行したという記事は捏造であるという主張を最高裁は認めたのである。二人にはもう一つの主張があった「金学順さんは日本軍による強制連行ではなく、人身売買によって『慰安婦』になった」である。最高裁は人身売買論は認めなかった。

二人は金学順は人身売買で慰安婦になったと主張したのである。人身売買されたなら性奴隷である。二人は慰安婦が性奴隷であることを主張したということになる。植村氏の記事が捏造であることは暴いたが、弁護士連合会が捏造した「慰安婦は性奴隷」には完全にはめられたのである。お粗末である。

日本の右翼、非左翼のジャーナリスト、学者、弁護士は左翼がでっち上げた「慰安婦は性奴隷」を暴くことができないのである。韓国では２０１３年『帝国の慰安婦　植民地支配と記憶の闘い』、２０１９年に『反日種族主義』が出版された。それは「慰安婦は性奴隷」論を覆すものであった。そして、２０２０年には米国で「慰安婦は売春婦」の論文が発表され、世界に衝撃を与えた。しかし、日本から国内、世界に衝撃を与える論文が発表されたことがない。

慰安婦問題では「慰安婦は性奴隷」論の左翼が勝ち続けている日本。情けない右翼、非左翼である。

慰安婦売春婦を性奴隷　処理水を汚染水これが日韓中の左翼

政府は4月13日、「廃炉・汚染水・処理水対策関係閣僚会議」を開き、福島第1原子力発電所にたまり続ける多核種除去設備（ＡＬＰＳ）処理水を海洋放出することを決めた。処理水にはトリチウムが含まれている。

原発処理水の海洋放出を決めたことに韓国政府は断固反対を表明した。相星孝一駐韓日本大使を外務省に呼び、抗議した。中国政府も海洋放出は海洋環境や周辺国の国民の健康に影響をもたらすとして、放出決定の撤回を要求した。日本共産党も「原発汚染水処理　海に流すな　声聞け福島・全国・世界から」を掲載して処理水の海洋放出に反対している。

中国と韓国の原発もトリチウムを放出している。トリチウムの排出基準が水1リットル当たり、韓国は4万ベクレルであるが日本政府は6万ベクレルをさらに40分の1の濃度に薄めて放出するとしている。文在寅大統領は14日、決定の撤回を求め、国際海洋法裁判所に提訴する構えをみせたが、実行すれば、特大ブーメランとなるだろう。

日本の処理水放出は「世界基準に合致」しているとして　米政府は評価している。ドイツメディアも、「最良かつ最も安全な方法」とコメントしている。国際原子力機関（ＩＡＥＡ）は、各国のほかの原発で行われている排水放出に似ていると支持している。

左翼系は安全な処理水であるのに原子力汚染水のイメージを高めて処理水海洋放出反対に市民を巻き込む。そして、反自民党政府運動を展開していく。慰安婦を性奴隷にして反自民党政府運動を展開しているのと同じである。処理水問題は韓国、中国と日本の対立ではない。慰安婦問題と同じように日本、中国、韓国の左翼と自民党政府の対立である。中国は左翼国家であり、現在の韓国政府は左翼系政府である。韓国が保守系政府であったら処理水海洋放出を容認していただろう。左翼系政府だから反対しているのである。

慰安婦問題で保守系政府の時に日韓条約で最終的かつ不可逆的な解決をした。ところが左翼系政府になると条約を破棄した。日韓左翼と自民党政府のシビアな闘いが展開中である。

慰安婦を利用した反自民政府運動は終息に

偽元慰安婦の李容洙（イ・ヨンス）や遺族ら20人が計約30億ウォン（約2億8千万円）の損害賠償を日本政府に請求した裁判は4月21日に訴えを棄却する判決を下した。国家は外国の裁判権に服さないとする国際法上の「主権免除の原則」と慰安婦問題の最終解決をうたった2015年の日韓合意が理由である。

国際法だけでなく日韓合意も含めて日本政府への請求をソウル中央地裁は却下したのである。国際法を適用したのはこの裁判だけではなかった。

3月29日には去る1月に判決が下された訴訟で勝訴した韓国の原告側が、訴訟費用確保の目的で韓国内にある日本政府の財産を差し押さえることは「国際法に違反するおそれがある」という決定文をソウル中央地裁担当裁判部が出していた。裁判には勝ったが賠償させることはできないことが確定したのである。実質的な偽慰安婦たちの敗北である。

偽元慰安婦の象徴的存在である李容洙（イ・ヨンス）は「国際司法裁判所に持ち込む」と言ったが、嘘である。本当は持ち込まない。いや持ち込めない。持ち込んでも裁判所が受け付けない。そのことを李容洙は米国の国際法専門家に指摘された。

李容洙（イ・ヨンス）は判決の翌日22日、ハーバード大ロースクールの学生会などが主催したオンライン討論会に送った映像メッセージで、「国際司法裁判所（ＩＣＪ）で慰安婦制度が国際法違反であり、日本が犯罪を認め正式に謝罪する義務があることを確認することを期待している」と語ったが、ＩＣＪ元裁判官のミシガン大ロースクールのシンマ教授は慰安婦問題をＩＣＪに付託するためには、韓国と日本が司法管轄権に関する特別合意を結ぶ必要がある。また、ＩＣＪは1965年の韓日請求権協定と2015年の慰安婦合意で解決済みという日本側の主張から重点的に検討するから、ＩＣＪで成功できないと述べた。

韓国内の裁判で敗北し、国際司法裁判には持ち込めない。それは偽元慰安婦を利用して自民党政府を責める運動が終息に向かっていることを示すものである。

マチヤグワー(個人商店)の伊佐商店である。右半分はシャッターが下りているが、営業中である。伊佐商店は嘉手納ロータリーがあった場所の東側にある新町通りにある。夕方、三線教室に行く途中にあるのでパンや飲み物を買っている。

店に入ると白髪のばあさんが２、３人椅子に座りゆんたく(雑談)をしている。商いをするための店というより老人たちのゆんたくするための空間というところか。私が店に入ると店主は微笑むが他の老婆はギロっと私を見る。以前、私が、
「ジャムパンはないか」と言うと老婆が、
「にいさん。サンエーで売っているよ。サンエーはパンをいっぱい売っているからサンエーに行った方がいいよ」と言った。私は心の中で苦笑して、その後は質問はしないことにした。

昔はどこにでもあったマチヤグワーである。しかし、今はほとんど見ることがなくなった。スーパーとコンビニエンスが増えたからだ。それに沖縄は車社会である。歩いて１０分のマチヤグワーより車で４、５分で行けるスーパーやコンビニに行く。私は読谷村の古堅に住んでいるがマチヤグワーは一つもない。あるのは大型スーパーとコンビニである。

嘉手納の三線教室には歩いて通っている。徒歩で４０分くらいかかる。小腹が空いた時に伊佐商店でパンと飲み物を買う。歩いているからこの店に入る。車に乗っていたらコンビニに行く。店主のばあさんが元気な間は伊佐商店は続くだろう。

クワッド・TPP VS 習独裁・一帯一路

日本、米国、オーストラリア、インドのクアッド4カ国は、3月12日、初の首脳会議をテレビ会議で行った。クアッドは中国牽制協議体と呼ばれるが、4カ国の首脳は共同声明では中国に直接言及せず、新型コロナウイルスについての協力などを強調した。

クワッドを提案したのは安倍前首相である。政権2期目を控えた2012年12月に発表した「アジアの民主主義セキュリティダイヤモンド」で「南シナ海がますます『北京の湖』となっていくかのようにみえる」とし、民主主義の価値を共有する4カ国が、集団安全保障を通じ、浮上する中国を抑制しなければならないと主張した。世界地図で米国、日本、インド、オーストラリアを線で結ぶとダイヤモンドに似ている。その形から「民主主義ダイヤモンド」というクアッドの別称が生じた。

米国ナンバーワン主義トランプ大統領が抜けたTPPを設立にこぎつけたのも安倍前首相である。TPP11参加国でアジアの国は日本、オーストラリア、ブルネイ、、日本、マレーシア、、シンガポール、ベトナム、ニュージーランドである。クワッドとTPPアジア5カ国は中国のアジア進出に政治、経済、軍事で対峙していくだろう。
クワッド＋ＴＰＰが習独裁中国の進出を押さえてアジアの民主化＆経済を発展させるのは確実である。

中国経済は習政権の独裁が強まっている。アリババなど民間資本企業には圧力を加え、国営企業には資金を潤沢にしている。国有企業の民間企業買収は増加している。民間企業を弱体化させ国営企業を強化する政策が着々と進んでいる。ところが中国内の米国、ＥＵなどの外国企業には知的財産の保護、技術の国営企業への転換禁止、１００％資本を習政権は認めた。外国企業はより自由になった。

中国は習政権が優遇する国営企業、冷遇する民間企業、習政権に制圧されない自由な外国企業が混在する経済社会になった。中国の複雑化した経済の行方は注目である。

４月１６日の日米共同声明に「台湾海峡の平和と安定」を盛り込んだのは素晴らしいことである。日米が共同して習独裁中国から台湾を守る宣言をしたのである。

日米首脳の合意文書に「台湾」が盛り込まれるのは、日中国交正常化前の１９６９年に佐藤栄作首相とニクソン大統領が出した共同声明以来５２年ぶりである。

１９７１年１０月２５日、国連総会でアルバニアが提案した中華人民共和国の中国代表権を認め、中華民国政府（台湾＝国民政府）を追放する決議が採択された。これによって中華人民共和国が中国であるされて国連の常任理事国となり台湾は中国としては認められなくなった。中国であることにこだわった台湾は国連から脱退した。それ以後、日米も台湾を国家として認めず、正式な国交を絶った。それから５２年後に日米は台湾の平和を守るために共闘することを宣言したのである。日米台の結束の強化の始まりである。

国軍のクーデターに対する抗議デモが続くミャンマーで、３７の中国資本の縫製工場だけが襲撃・放火された。中国の一帯一路戦略に民主主義がノーを断言したのである。アジアには民主主義が広がっていく。確実に。

捻じ曲げられた辺野古の真実

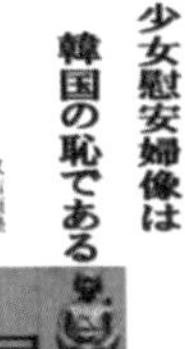

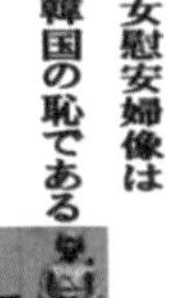

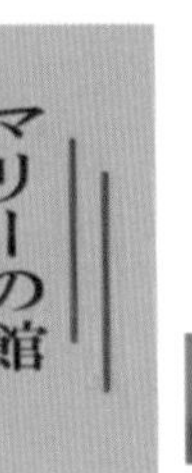

沖縄に内なる民主主義はあるか　１５００円(税抜)

捻じ曲げられた辺野古の真実　１５３０円(税抜き)

少女慰安婦像は韓国の恥である　１３００円(税抜)

マリーの館　１３８０円(税抜き)

マリーの館　１３８０円(税抜き)

バーデスの五日間　上　１３００円(税抜き)

バーデスの五日間　下　１２００円(税抜き)

ジュゴンを食べた話　１５００円(税抜き)

一九七一Mの死　１１００円(税抜き)

台風十八号とミサイル　１４５０円(税抜き)

アートハイク

ヒジャイ　マチュウ

写真に文字を書いたり、明暗、回転、色彩を変化させることができるのがフォトデラックスというソフトである。

このソフトを使って写真と俳句をドッキングさせた。写真というよりアートだ。俳句は季語やらなにやら規則があって窮屈だ。南島の沖縄で季語にこだわると季語を義務とする俳句はつくれない。だからハイクとした。

気楽に自由に創る。それがアートハイクだ。それでいいではないか。ヒジャイは左。左巻きのマチューがつくるアートハイクである。

我が恋は
絡み絡まれ
闇に墜つ

生きろよ と
遥か彼方の
月
は言う

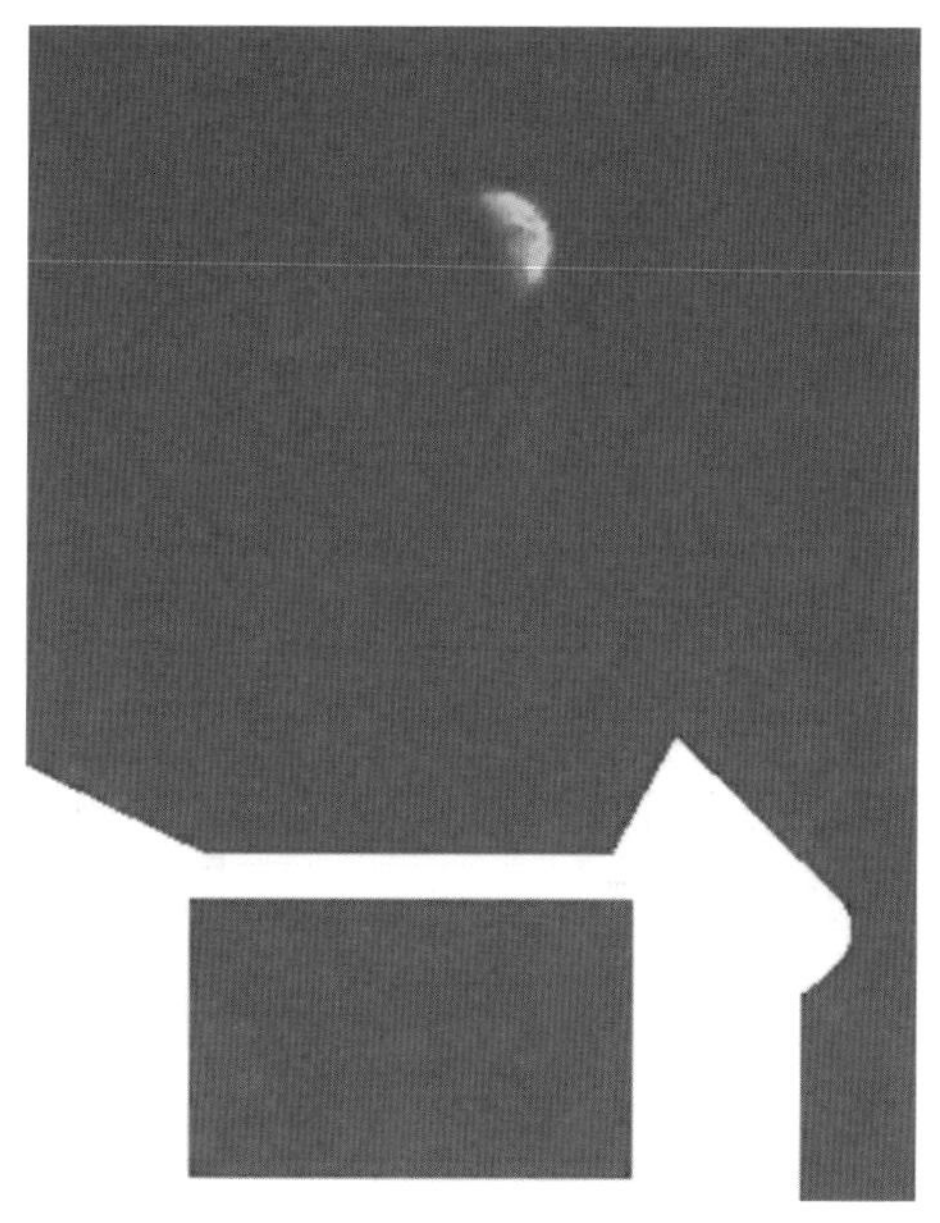

電柱の
彼方に
欠けた
月
独り

岩に立ち
おまえは今日も
ひとりかい

一カ月ぶり
三線教室
コロナめが

びしさよ
仲間激減
ロナめが

コロナ禍で響き渡るよ子らの声

三線教室に通っている。新型コロナ感染が広がり緊急事態宣言が発せられたので一カ月間休みになった。

一か月後に三線教室は再開した。しかし、集まったのは半分以下であった。メンバーはみんな高齢者である。コロナに感染すれば死ぬ確率が高い。だから来なかったのだろう。再び休みになった。もっと減るかも。

小学校の側を通ると、運動場から子らの大きな声が聞こえてきた。野球練習をしている。思わず微笑んだ。

切られても
春に生き抜く
おまえかな

枝切られ
春陽の下で
死んでいく

コンクリートのひび割れた箇所に生えているパパイアである。

築60年以上の外人住宅に住んでいる。あの頃の建築はずさんであり、裏庭は雑草が生えないようにコンクリートを敷いているが、コンクリートの質は悪く、厚さも薄いのであちらこちらがひび割れしている。ひび割れた箇所には雑草が生えている。定期的に除草剤を巻いて雑草を処理しているが、ひび割れが大きい箇所になんと雑草に交じって5、6センチのパパイアの芽が出ていた。雑草を手でむしり取りパパイアを残した。

こんなひび割れにパパイアの芽が出るとは・・・。パパイアの種はどこからやってきたのだろう。パパイアは雑草のごとくあちらこちらの道路沿いや空き地に生えているが、まさかコンクリートのひび割れに生えてくるとは。不思議である。

せっかく生えているのでひび割れのパパイアがどのくらい成長していくか見ていくことにする。普通に大きくなるのか、それとも大きくなれないのか。もしかすると盆栽のように小さいままなのかも知れない。いや、私と同じ高さにはなるのかもしれない。分からない。

花は咲くだろうか。実はなるのだろうか。実はどのくらいの大きさになるのだろうか。小さいだろうか。パパイアの成長は早いので一年くらいでは結果は出る。水と肥料を上げながらパパイアの成長を見ていこう。まあ、普通の家ではこんなことは起きないだろうな。オンボロな外人住宅だからだな。

命拾いしたパパイア

下水道工事をしなければならなくなった。６０年前に建てた外人住宅は水洗便所であるが、庭の地下に汚水槽をつくり、汚水はお水槽に流した。汚水槽の汚水は地下に浸透させていた。

汚水槽は隣の家と共用である。ところが隣は新築することになった。汚水槽は埋めて村の下水道につなぐことにしたという。となると今の下水道は使用できなくなるので私も村の下水道につなげなければならなくなった。工事費用は３７万円という。うわー高い。しかし、下水銅工事はやらなければならない。村から１０万円の補助金は出るが、それでも２７万円の出費だ。２７万円はきつい。前の家主を恨む。

この家に移ったのは2年半前である。前住んでいた外人住宅は地主がアパートを建築するということで立ち退きになった。それで今の外人住宅に移った。前の家主が下水道工事をしていれば私が２７万円も支払うことはなかったのだ。周囲の家のほとんどは下水道工事はやっている。この家と隣の家がやって

いなかった。前の家主を恨む。しかし、恨んでみたところで27万円が私の懐から出ていくのは変わらない。仕方がない。業者に依頼した。

工事が始まった。下水管はどこに通すかを聞くと、下水管を通す場所は決まっているという。村の下水道につなぐ設置場所すでに工事がされているのだ。それはパパイアが生えている場所だった。もしかするとパパイアが生えている場所かも知れない。下水管を通す場所であるならパパイヤは撤去しなければならない。パパイアはスラブが割れた穴から生えているから根の周囲はスラブであり移植するのは難しい。パパイアの命もこれで終わりか。と思ったが。幸いなことに下水管は写真のようにパパイアから少し離れた箇所であった。ほっとした。命拾いしたパパイアである。

小さかったパパイアはすくすくと育った。周囲はスラブであるから水分はないと思うのだが、枯れることもなく緑の葉を広げて大きくなった。不思議である。

花が咲いた。パパイアには雄と雌があり雄の花は実にならない。このパパイアは雌だった。

さて、実は普通のパパイアのような大きい実になるだろうか。

これからの楽しみである。

予想しなかったことが起きた。パパイアの葉がしなれて枯れてきた。大きくなると水分が不足するだろうから、スラブに穴を開けた。そして、散水容器を設置して、水分補給を徹底した。水分不足で葉が枯れることはないはずである。

原因は強い寒風だった。ここは坂の途中にある場所である。北東の風をまともに受ける。寒風が吹く日が続いたために葉がしなれて枯れていった。春になれば持ち直すと思っていたが葉は全部枯れた。

何十年もパパイアを育ててきたが初めての体験である。

葉は枯れてすべて落ちたのに、実はまだ落ちない。実は重いから落ちるはずなのに落ちない。落ちないで色が緑からだいだい色に変わり熟してきた。完全に熟すまで落ちないのだろうか。

と思っていたら、パパイアの木はまだ枯れていなかった。実の間から小さな葉が出ていた。上のほうは枯れて茶色になっているが実の上から根までは緑色である。パパイアはまだ生きている。実の間から出た枝葉が大きくなっていくだろう。楽しみだ。

南島の冬を安穏花すすき

「船頭小唄」はとても好きな歌で少年の頃はよく歌っていた。利根川で貧しい船頭の夫婦が小さな船を漕いでいる姿をイメージして歌っていた。だがイメージできないのがあった。詞に「俺とお前は利根川の花の咲かない枯れすすき」とあるが、枯れすすきをイメージできなかった。沖縄のすすきは年中青々と茂っていて枯れることはない。枯れすすきは見たことがなかった。

有名な俳句で「幽霊の正体見たり　枯尾花」がある。尾花とはススキである。沖縄のすすきは枯れないから幽霊にはなれない。

沖縄のすすきは秋に咲き、冬の間ずっと写真のように咲き続けている。のんびりと楽しく冬を過ごしているように見える。

いっぱいや
絆
HAMAMOTO
BODY REPAIR

ばあさん
今日も来たぞ
食わせろ
いっぱいや
絆
おでん
おでん

一人・ちゅい　二人・たい　三人・みっちゃい
愛三人
あいたいと
夜にささやく
おまえかな

夜更けて
今日も来た
風酔
ダイニングパブ
風酔
ふうすい

酔いどれ
愛もとめ
ZUKAZUkA
ZUKA
ZUKA

韓国の釜山で生まれ育った。
成人になり大阪で就職した。
恋をした。
男は沖縄の人間。
結婚して沖縄に住んだ。
子供が生まれた。
幸せになるはずが男は離れていった。
我が子を愛する女は
自分の故郷釜山で生きるよりも
我が子の故郷この地で生きる決心をした。

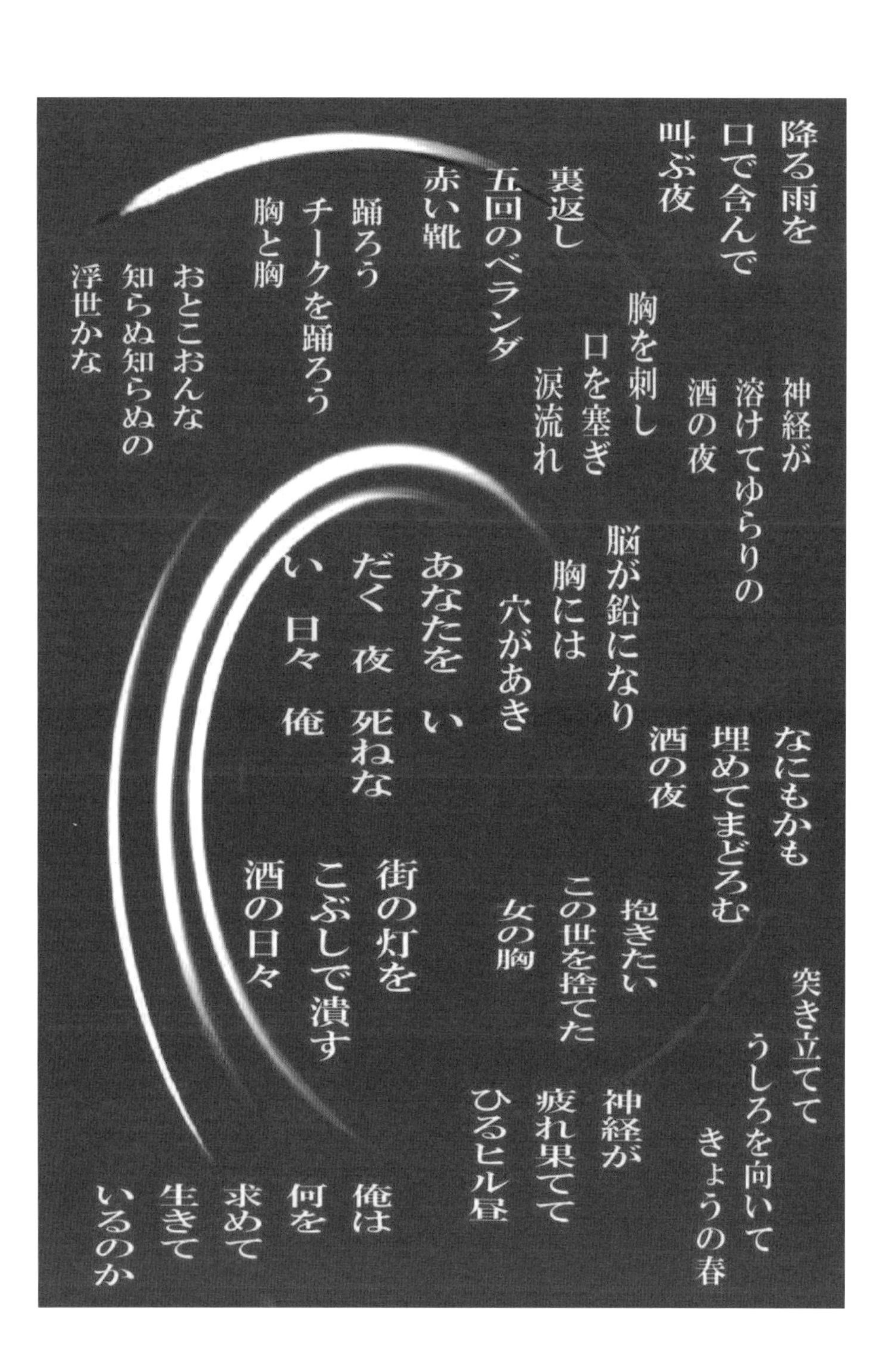

降る雨を
口で含んで
叫ぶ夜
裏返し
五回のベランダ
赤い靴
踊ろう
チークを踊ろう
胸と胸
おとこおんな
知らぬ知らぬの
浮世かな
神経が
溶けてゆらりの
酒の夜
胸を刺し
口を塞ぎ
涙流れ
脳が鉛になり
胸には
穴があき
あなたをい
だく夜死ねな
い日々俺
なにもかも
埋めてまどろむ
酒の夜
抱きたい
この世を捨てた
女の胸
街の灯を
こぶしで潰す
酒の日々
突き立てて
うしろを向いて
きょうの春
神経が
疲れ果てて
ひるヒル昼
俺は
何を
求めて
生きて
いるのか

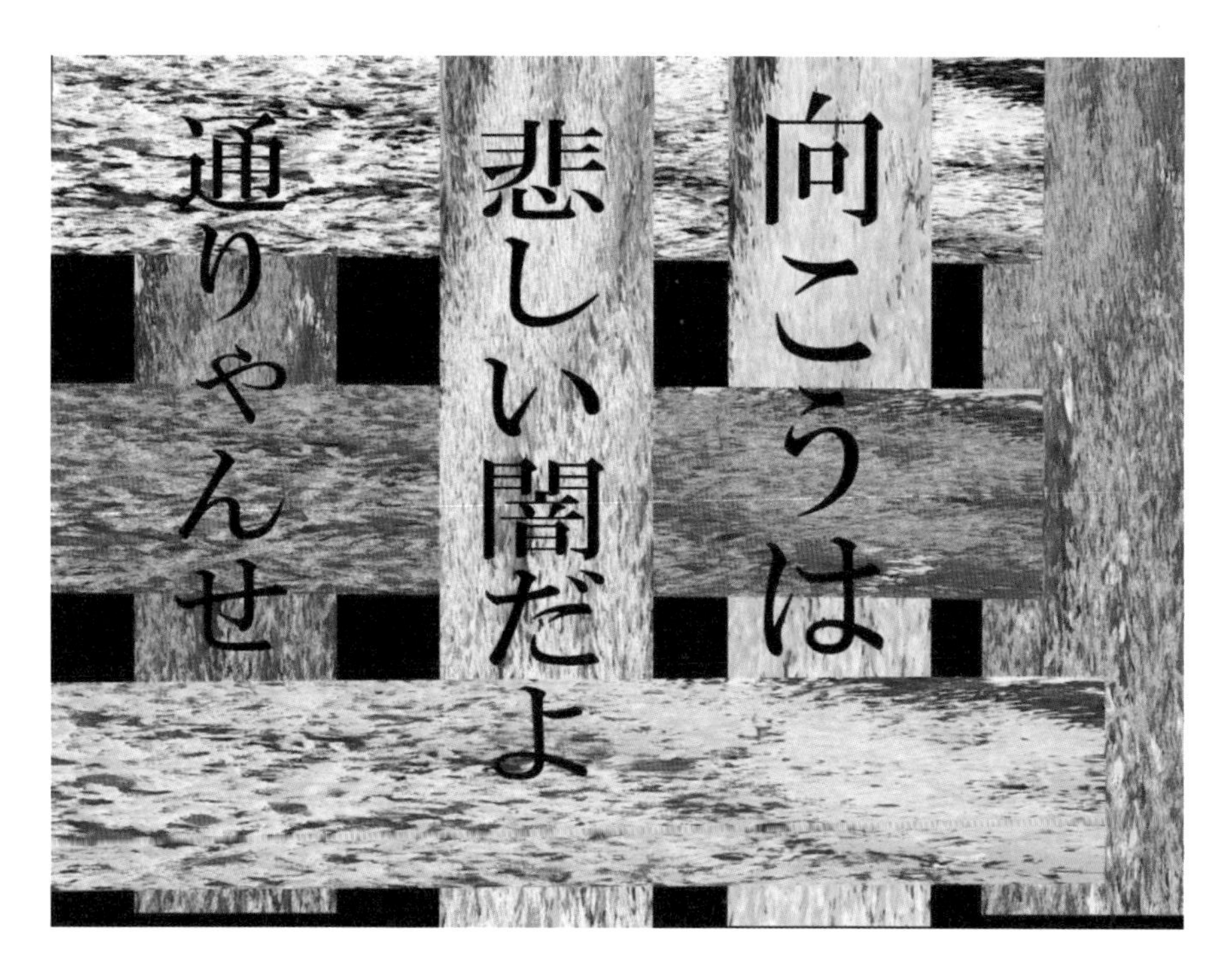
向こうは
悲しい闇だよ
通りゃんせ

朽ちた木に
山鳥立って
首傾げ

這い上がれ　　金毒に　　胸に　爪
這い上がれ　夢　知らず知らずに　をたて　じんわり
這い上がれ　　胸腐れ　　酒の夜

胸を刺し　キリリキリ
口を塞ぎ　深夜の脳が
涙流れ　狂う狂う

寂しいよ
寂しいよ　心　株を買い　街の死ねぬ　しあわせを
寂しいよ　株を売り　夜　おんな　おとこ　金でくるんで
カラカラ　愛に麻痺　酒の日々　グーチョキパー
夢がカラカラ
街だカラ

唄え唄え夢が堕ちても唄え唄え

脳が　鉛になり
胸には穴があき
やさしさを　金に殺され
街の日々

狂い咲く　昼と夜
夏のガーブの　つなぐ神経
闇の死児　ズーダスタ

子を愛し
子を育て
老いて
死ぬだけ
岩
永遠に
横たわり
無に
横たわり

連載小説

なんくるないさ島においでよ1

東京に十軒茶屋と呼ばれている所がある。一軒茶屋といっても十軒の茶屋が並んでいるのではない。それが地名なのだ。昔は茶屋の多い場所だったのだろう。その十軒茶屋の表通りではなく、裏の通りのはずれに、時代の流れに取り残されているひなびた木造の二階建ての家がある。その家の一階にはこれまたひっそりとした佇まいの「ゆい」というひなびた居酒屋がある。杉の板にゆいと彫って塗った墨は剥がれて「ゆい」と判読しにくい看板は傾いている。古ぼけた藍色ののれんを潜って戸を開けるとチリリリンと鈴の音が鳴り、「いらっしゃいませ。」としわがれた男と女の声がする。七十歳を越す主人とお上さんの声だ。材料の買出しやら仕込みやら掃除やら店のきりもりの全ては二人でやっている。ひなびた雰囲気が蔓延している居酒屋というわけだ。

「ゆい」に入ると左側には十人が座れるL字型カウンターがあり、右側には四、五人が座れる座敷が二部屋ある。

垣花三郎は居酒屋「ゆい」から徒歩で三十分ほどかかるアパートに住んでいて、仕事の行き帰りはいつもゆいの前を通っている。仕事の帰りにふらっと入って小一時間ほど酒を飲んだり、眠れない夜にはひょこっとゆいにやって来て酒を飲んだりした。最近の三朗は工事現場の交通整理の仕事をしていたが、今日は仕事が終わったのが午後九時だった。電車から下りて駅を出て、居酒屋ゆいの前を通ると酒が飲みたくなり、三朗はゆいに入った。カウンターに三人の男が座り、座敷には四人の客が居た。三朗はカウンターの椅子に座った。

「おっちゃん。酒と和え物のつまみな。」

黙々と手を動かしている主人は三郎を振り向くこともしないで、

「あいよ。」

と返事し、暫くすると徳利ときゅうりとたこを和えたつまみを乗せた小皿を、

「あいよ。」

と言いながら三郎の前に置いた。

カウンターの三人の客はスーツを着たサラリーマン風の男たちでぼそぼそと話しながら酒を飲んでい

た。座敷には四十代と見られる、東京では珍しく日に焼けて浅黒い男と三人の二十歳くらいの若者が談笑していた。

後ろの座席の談話から「沖縄」という言葉が聞こえた。まさかこんな東京の場末の居酒屋で「沖縄」という言葉が聞こえてくることはないはずだから、「沖縄」と聞こえたのは三朗の聞き間違いだろうと思った。しかし、座敷からは二度三度と「沖縄」という声が聞こえてきた。どうやら三朗の聞き間違いではないようだ。三朗は「沖縄」という言葉が混じっている座敷の会話に興味が湧いてきて、会話に聞き耳を立てた。

座敷に居る四十代の男は推名林蔵という。推名林蔵は古本屋の主人であったが、店の経営は妻に任せて、もっぱら全国を回って古本を買い集める仕事をしていた。居酒屋「ゆい」は推名林蔵がなじみにしている居酒屋で、夜になると居酒屋にやってきて酒を飲んでいた。常連である推名林蔵は他の常連客と気楽に話し合い、意気投合すると他の客と一緒に座敷に移って飲んだ。今日も、最近常連になった三人の若者と意気投合して、座敷に上がって酒を酌み交わしていた。

最近の日本は一種の沖縄ブームであり、南国沖縄への観光やら、野菜のゴーヤーやら薬草のウコンやら沖縄の色々なものがもてはやされている。沖縄ブームは古本屋も同じで、沖縄関連の古本はよく売れる。だから推名林蔵は年に数回は沖縄に行って、古本を買い集めていた。何度も沖縄に行っている内に沖縄の魅力に引かれていった。いわゆる沖縄病にかかり、酔うと沖縄の素晴らしさを吹聴するようになっていた。

「沖縄の海はすごいぞ。沖縄の海の色は真っ青という表現がぴったりくる。それこそ真っ青なのだ。沖縄の空だって真っ青だ。真っ青の中の真っ青だ。つまり、沖縄は海も空も真っ青ということだ。しかし、海の真っ青と空の真っ青は真っ青という言葉は同じでも違う真っ青だ。君たちにその意味が分かるか。分からないだろうな。」

推名林蔵は得意満面の顔をして三人の若者の顔を見回した。

「空の真っ青はすかーっとした真っ青だ。沖縄の真っ青な空を見ると気分が晴れ晴れとなる。しかし、海の真っ青はだな。深―い真っ青なのだ。分かるか。」

三人の若者は首をかしげた。

垣花三朗は推名林蔵の話を聞きながら沖縄の空の色や海の色を思い描いた。沖縄の空の青は推名林蔵の言う通り真っ青だ。東京の空に比べれば青の濃さは強い。沖縄の真っ青な空と真っ白な入道雲を見れば気分が晴れ晴れするのは推名林蔵の言う通りだ。海も東京の海に比べれば濃い青である。深い海は深い青というより紫色に近い。深い海は不気味だった。

「深ーい真っ青とはどういう真っ青なのですか。」

若者の一人が質問した。

「そのう、なんていうか。魂を吸い寄せるような深い青ということかな。うん。沖縄の海の真っ青はそういう真っ青だ。分かるか。」三人の若者は推名林蔵の説明が理解できないで首をかしげた。

「魂を吸い寄せるということは、海を見ていると海に飛び込んで自殺したくなる気持ちになるということですか。」

予想外の質問に得意満面に話していた推名林蔵は戸惑い、返事に困った。

「い、いや。そういうことではなく・・・。」

「崖の上から海を見ていると吸い込まれそうになると聞いたことがあります。」

「いや、それと私のいう沖縄の海の魂を吸い寄せるような深い青とは別のことだ。そのうなんていうか。」

推名林蔵は酒の入ったおちょこを掴んだまま、沖縄の海を説明する適切な言葉を模索した。しかし、適切な言葉は見つからなかった。

「沖縄の海の魂を吸い寄せるような深い青を君たちに理解しろというのが無理かもしれないなあ。実際に沖縄の海を見ないと理解できないことだ。つまり、言葉では沖縄の海の素晴らしさを説明できないということだ。そのくらいに沖縄の海は私たち日本本土に住んでいる人間の想像を超えた真っ青であるということだ。君たちも君たちの目で沖縄の海を見るといい。そうすれば私のいう真っ青の意味がすぐに理解できる。」

推名林蔵はなんとか面目を保つ説明ができてほっとし、うまそうに酒を飲んだ。

垣花三朗はぐいっとコップ酒を飲んでから、「魂を吸い寄せるか。」と呟きながら、沖縄の海で泳いだことを思い出した。子供の頃は家族でビーチパーティーを年に一度はやった。高校生になると夏休みに同級生と一緒に海で泳いだ。

「魂を吸い寄せる」色をしている場所とは海の色が紫に近い色をしている場所であり、その場所は底が深い場所である。じっと見つめていると「魂が吸い寄せられる」気持ちになるのは確かだ。しかし、泳ぎが下手だった三朗は紫色をした深い場所に行く勇気はなかった。紫色をした場所は妖怪に足を引っ張られて溺れてしまいそうな恐怖があったが、推名林蔵の言うように深い青を見つめていると吸い寄せられそうになるのは三朗も体験した。深みにはまって水死した少年を「海の魔力に惑わされて深みに入って溺れ死んだのだ。」とよく大人たちが言っていたのを思い出す。沖縄の海が「魂を吸い寄せる」色をしているというのは本当であると三朗は思った。「魂を吸い寄せる」沖縄の海では、泳ぎが達者な人間であるなら泳いだり潜ったりして楽しむことができるが、泳ぎが下手な人間は深みにはまって溺れ死んでしまう。それが沖縄の海の魅力であり怖さである。

酔いが回ってきた推名林蔵の口は滑らかになり、沖縄談義が続いた。

「沖縄の海は魂を清くしてくれるんだ。沖縄の海で泳いでいると魂の汚れが洗われてきれいになる。」

「魂の汚れですか。」

「そうだ。」

「魂の汚れというのはどんな汚れなのですか。」

木村竜太の質問に推名林蔵は苦笑した。

「まあ、なんだな。とにもかくにもだ。、沖縄の海とはそんなものだ。君たちは信じることができないだろうな。」

推名林蔵は三人の若者たちの顔を見回してから、

「私は一週間前に沖縄の海で泳いできたよ。魂が洗われたよ。」

三人の若者は推名林蔵が海で泳いだというので驚いた。

「え、今は五月ですよ。林蔵さんは海に入ったのですか。」

「ああ、泳いだよ。」

「寒くなかったですか。」

「全然大丈夫だ。沖縄では五月を若夏と言っている。初夏というのではなく若夏というところに沖縄独特の季節があるのだ。初夏はまだ肌寒さが残っている。しかし、若夏というのは若い夏という意味で、初夏と違って肌寒さがない。東京は温帯地方であるが沖縄は亜熱帯地方に属するからね。五月には海で泳げるのだ。」

「へえ、そうなんですか。」

三人の若者は五月に泳げるという沖縄に驚いた。

推名林蔵が五月の海で泳いだという話に三朗は驚いた。高校まで沖縄に住んでいた三朗であったが、五月に海で泳いだ経験はなかったし、泳いだ話を聞いたこともなかった。沖縄の五月は暖かいから海で泳ごうと思えば泳げる。しかし、沖縄に住んでいる人間は誰も五月に海で泳ぐ者はいなかった。真夏になり、太陽がカンカンと照り、地上が暑くなり、体中から汗が噴き出した時に海に行き、泳ぐ。海で泳げるようになったから泳ぐのではなく、暑さに耐えることができなくなった時、沖縄の人々は海で裸になり涼を取るのだ。海で泳ぐというのは避暑行為であるのだ。だから、まだ暑さが本番になっていない五月に海で泳ぐということはしない。三朗は推名林蔵が五月に泳いだと話したのには驚いた。「東京に住んでいる人間だから五月に泳いだのだろう。」と三朗は思った。

六年前までは推名林蔵は沖縄の文化や文学を研究している教授の求めている古本を求めて数年に一度は沖縄に来ていた。その頃は歴史や文化、古典等の専門書を沖縄で買い集めていたが、沖縄ブームというものが起こり、観光関係の本や、沖縄料理の本や比較的簡単な沖縄方言などを紹介した本など、専門書以外の本が店で売れるようになった。沖縄本が店で売れるようになったので、推名林蔵は五年前からは年に数回は沖縄に行くようになった。沖縄に通い、沖縄の文化や人々に触れるにつれて沖縄の知識が豊富になっていっていき、いわゆる沖縄通になり、酔うと沖縄の話をするようになった。

沖縄への博識を自負している推名林蔵は話し相手が沖縄を知らないと知れば、ますます饒舌になり話は拡大していった。

「沖縄はすばらしい所だ。是非一度は行ったほうがいい。空の真っ青、海の真っ青の色は東京の空や海の青とは比べ物にならないほどにすばらしい。空や海だけではない。木々の葉の緑、土の赤、砂浜の砂の白など、風景の色がすべて原色なんだ。つまり、絵の具そのままの色というわけだ。日本の風景が絵の具を水で薄めた風景であるとするなら、沖縄の風景は絵の具に一滴の水も混入していない原風景と呼べるものなのだ。それに沖縄の人たちは陽気で大らかだ。沖縄で生活していると東京で蓄積したストレスが解消するんだ。だから私は年に二、三回は沖縄に行ってストレスを解消している。ストレスが溜まっている人間はみんな沖縄に行きストレスを解消したほうがいい。」

推名林蔵は沖縄行きを勧めた。


東京にあこがれていた三朗は高校を卒業するとすぐに沖縄を離れた。沖縄に魅力はなにもないと思っていた三朗だったから、推名林蔵が沖縄をもてはやせばもてはやすほど妙な気持ちになった。そんなに沖縄がすばらしい島であるのか。三朗には信じられなかった。三朗にとっては小さい沖縄島より大都会東京のほうがすばらしいし、人生に夢が持てると思っていた。今もそう思っているが、東京の生活に自信を失いかけている面もあった。しかし、それでも沖縄で生活するよりは東京のほうがまだましだと三朗は思っている。沖縄には仕事がない。失業率は東京の二倍で、給料は半分ほどしかない。・・・東京の生活は苦しいが沖縄ならもっと苦しいだろう・・・

三人の若者は推名林蔵の話に頷いたり、首を傾げたりして聞いていた。三人の若者はビールを飲んでいたが、

「おーい、親父、おちょこを三つ持ってきてくれ。」

と、推名林蔵はおちょこを頼んだ。

「へーい、おちょこ三つ。」

主人が言うと、おかみさんがすぐに三個のおちょこを持ってきた。おかみさんからおちょこを受け取った推名林蔵は自分の徳利から酒を注いで次々に三人に渡した。

「飲んでみろ。これが沖縄の酒だ。」

三人は用心しいしい、おちょこを鼻に近づけて臭いをかいだ。すると、すえたような独特な臭いが鼻をついた。三人は顔をゆがめ、酒を飲むのを躊躇した。

「どうしたんだ。飲んでみろ。」

「臭いがきついです。」

「それが沖縄の酒だ。飲めば臭いなんか気にならなくなる。飲んでみろ。」

三人は恐る恐るおちょこを口に近づけた。

「一気に飲め。」

推名林蔵が言ったので三人は酒を一気に飲んだ。沖縄の酒も日本酒の一種だろうと思って飲んだ三人は日本酒とは全然違う味と酒の辛さに面食らった。三

人が酒のまずさにしかめっ面をしているのを推名林蔵はにやにやしながら眺めていた。

「おう。」

大林がうなった。酒が喉を通り胃に達すると急に喉や胃が燃えるように熱くなった。

「喉が燃えるようです。どうしてですか。」

「これが沖縄の酒だ。」

推名林蔵は目を細めながら言った。

「この酒は古酒といって、十五年寝かした酒だ。そして、度数は四十度を超える。日本酒の四倍の度数だ。だから喉が燃えるように熱く感じるのだ。」

「味も変です。この酒の原料はなんですか。米ではないですよね。」

「と、思うだろう。ところが実は米なのだ。」

「本当に米なのですか。」

「ああ、米だ。しかし、日本の米ではない。タイの米だ。」

「え、タイの米ですか。沖縄の酒なのに原料はタイの米なのですか。」

「そうだ。沖縄の酒はタイ米なのだ。」

推名林蔵の沖縄の酒についてのうんちくが始まった。


沖縄の酒は泡盛と書いてあわもりという。泡盛の由来には二つの説がある。ひとつの説は泡盛の原料は米ではなく、.かつては粟を用いたことからあわもりという名がついたという説である。昔は米は貴重な食料であり、酒の原料に使うほどの米はなかった。だから、栽培しやすい粟を酒の原料に用いた、粟を用いたのであわもりとなり、泡盛となった説である。もう一つの説は泡盛は日本酒や焼酎とは違い蒸留酒であるため、壷に入れた原酒を薪で焚き、蒸発した酒を冷やして蒸留酒にする。そして、導管から垂れてきた泡盛は受壷に落ちてくるのだが、落ちた瞬間に盛り上がる滴の状態を見て「泡盛る」となり、転じて『泡盛』となったという説である。

　蒸留酒に含まれる起泡性成分含量はアルコール度数にほぼ比例するから起泡性成分含量は泡の具合でアルコール度数が分かる。昔は蒸留した酒を茶碗に入れて泡立たせ、徐々に水で薄めて泡が立たなくなるまでそれを繰り返すことによってアルコール度数を決定していた。そのような泡盛製造の歴史から、泡盛という名前の由来は二番目の説が有力である。

「沖縄の酒は日本酒と違って蒸留酒なのだ。沖縄には昔から蒸留の技術があったというわけだ。その酒の蒸留技術はなシャム国から琉球王国に伝えられたと言われている。」

「シャム国とはどこですか。」

「今のタイだ。泡盛は日本酒や焼酎とは違う黒麹菌というのを使っている。それもシャム国から伝わったと言われているし、貯蔵用の甕とかもタイから琉球王国に渡ってきたらしい。だから、泡盛は日本の酒とは違う独特の風味を持っている酒なのだ。泡盛は南方から伝わってきた酒だから、昔は南蛮酒とも言われていた。」

　推名林蔵は泡盛のうんちくは続く。

「この酒はなクースと呼ばれる酒なんだ。クースというのは沖縄方言で古酒のことをいうんだ。日本では新酒がもてはやされるが、沖縄は違う。泡盛はな寝かせば寝かせるほどに、こくや独特の香気が出てうまくなるのだ。だから泡盛は十年二十年と寝かせたのを古酒として珍重されるのだ。あれと同じだ。ワインは樽に入れて寝かせるだろう。寝かす年月が長くなればなるほど、深みとコクが出る。まあ、若い君達にはこのクースのよさが理解できないかも知れないな。」

推名林蔵のうんちくは続いた。


　高校を卒業して、すぐに東京に就職した三郎は沖縄の酒がタイの米を原料にしているのを知らなかったし、クースというのも初めて聞く言葉だった。推名林蔵のクースの話は始めて聞く話であった。三郎は沖縄の酒に新鮮な驚きを感じた。

　座敷は推名林蔵の沖縄談義が進んだ。沖縄の酒の話から沖縄の食べ物の話に移った。

「沖縄は長寿世界一なのだ。君たちは知っていたか。」

三人の若者は沖縄について無知に等しかったから、沖縄が長寿世界一であることを知っているはずはなかった。

「沖縄県が世界一長寿県なのですか。」

「そうだ。世界一長寿国は日本であり、沖縄県は日本一の長寿県なのだから、沖縄県は世界一長寿県なのだ。そしてだ、沖縄が世界一の長寿県である原因のひとつが料理であるといわれている。沖縄料理はヘルシーなのだ。君たちはゴーヤーを知っているか。」

「知りません。ゴーヤーというのはどんな料理なのですか。」

「料理の名前ではない。野菜の名前だ。日本語では苦瓜という。聞いたことはないか。」

三人の若者は苦瓜を知らなかったので首を振った。

「苦瓜を知らないのか。君らは勉強が足りないなあ。」

推名林蔵はゴーヤーがキュウリの表面をぶつぶつにしたような瓜であり、苦瓜と言われているように味は苦いなどと説明し、

「ゴーヤーと豆腐やもやしと和えた料理をゴーヤーチャンプルーという。夏ばてに効力のある料理だ。沖縄県の人たちはゴーヤーチャンプルーを食べるから夏ばてをしないのだ。」

　三郎はゴーヤーチャンプルーを思い出した。ゴーヤーは苦い。小学生の頃はゴーヤーを食べることができなかった。高校生の頃は食べることはできたが、ゴーヤーの苦さは好きになれなかった。三朗にとってゴーヤーチャンプルーは嫌いな料理に入る。ゴーヤーは夏バテに効くから食べなさいと母親はよく言っていたことを思い出した。

　推名林蔵はヘチマ料理であるナーベーラーチャンプルーや豚の足を料理したてびち汁など沖縄料理の話をしていたが、急に話を止めた。そして、三人の若者の顔を見回したあとに、右側に座っている若者に、

「藤田くん。君は『なんくるないさ』という言葉を知っているか。」

と訊いた。

「なんくるないさですか。」

藤田は首をかしげた。

「そうだ。なんくるないさだ。」

「知りません。『なんくるないさ』というのはどこの国の言葉ですか。」

　三郎は「なんくるないさ」という言葉を聞いたことがあるような気がしたが、いつどこで聞いたか記憶になかった。三朗が聞いたことがあるということは「なんくるないさ」は沖縄の方言なのだろう。三郎は子供の頃から共通語を使っていたし、父母も周りの人たちも共通語を使っていたから沖縄方言はほとんど知らなかった。「なんくるないさ」という言葉の意味は三朗も知らなかった。宇嘉利島という小さな離れ島に三朗の祖父母が住んでいて、夏休みに遊びに行ったことがあるが、祖父母も孫の三朗たちと話す時は共通語を使っていた。

　「なんくるないさ」というのは沖縄の方言であり、沖縄に行ったことがない藤田が知っていないだろう

と予想していたが、予想通りに藤田は「なんくるないさ」という言葉を知らなかった。推名林蔵は藤田が「なんくるないさ」を知らないことに優越感を感じながら、右側に座っている木村に、

「木村くんは『なんくるないさ』を知っているかね。」

と訊いた。木村が知っているはずがなかった。

「知りません。」

木村は推名林蔵が期待していた通りに答えた。推名林蔵は木村が知らないと答えたことに満足し、うまそうに泡盛を飲んだ。

「『なんくるないさ』は英語ではないですよね。フランス語とかスペイン語ともなにか発音のニュアンスが違うようだ。もしかして、東南アジアの言葉ですか、例えばベトナム語とか。」

推名林蔵は「なんくるないさ」が外国語と勘違いしている若者たちに優越感を感じながら、首を振りながら、

「いや、ベトナム語ではない。なんくるないさは東南アジアの言葉ではなくれっきとした日本語だよ。」

と言った。

「え、日本語なのですか。」

「そうだ日本語だ。大林くんはなんくるないさという言葉を知っていないか。」

推名林蔵は優越感に浸った微笑をしながら、大林に訊いた。

「いいえ、知りません。」

大林が答えると、

「え、大林君も知らないのか。そいつは驚きだ。」

わざとらしく驚き、

「沖縄に行けばすぐに分かる言葉なのだが、そうが、君たちは沖縄に行ったことがなかったな。『なんくるないさ』を知らないのは仕方ないか。」

呟きながら、微笑んだ。

暫くの間、にやにやしながら若者たちの顔を見ていた推名林蔵は、

「さっき、沖縄県の世界一長寿県の原因のひとつが沖縄料理にあると言ったな。」

三人の若者たちはうなずいた。推名林蔵が「なんくるないさ」について話し始める時のいつもの手順だ。

「しかし、料理だけで世界一長寿県になれるはずはない。もっといくつかの原因が揃わなければ沖縄が世界一長寿県になれるはずがない。そうは思わないか、君たち。」

三人の若者たちはうなずいた。

「なぜ、沖縄県が世界一なのか。料理の他にどんな原因があると思うか。藤田くんはどう思うか。」

藤田は首を横に振り、「分かりません。」と答えた。

推名林蔵は
「そうか、知らないのか。」

と言い、「残念だ。」と言った後に、

「なぜ、沖縄県は世界一長寿なのか。」

と言って、三人の若者を見回した。そして、

「それは沖縄には『なんくるないさ』の精神があるからなのだ。」

三人の若者は首をかしげた。

「長生きするにはヘルシーな食べ物だけでは駄目ということだ。精神の有り様も大きく影響するのだ。そうは思わないか、木村くん。」

「そ、そうですね。推名さんの言う通りだと思います。」

「ストレスは免疫力を低下させると言われている。ストレスが溜まれば免疫力が落ちる。免疫力が落ちれば病気になってしまう。つまり、ストレスは人間を病気にさせ寿命を縮めるのだ。逆にストレスがなければ長生きするということだ。そう思うだろう。」

「そうかも知れません。」

「そうかも知れませんではなくて、そうなのだよ、君たち。そうだろう。」

三人の若者はうなずいた。

「沖縄にはな、ストレスがないのだ。本当だよ。だから沖縄に行くと溜まっていたストレスが解消してしまうのだ。」

三人の若者は推名林蔵の話が信じられなかった。

「本当ですか。」

「本当だ。君たちは信じないかも知れないが、沖縄にはストレスがないし、東京で溜まったストレスは沖縄に行けば解消する。それは本当のことだ。」

若者たちが真剣に聞いている顔をしていると、推名林蔵は得意満面になり、話に勢いが増していった。

「なぜ、沖縄にはストレスがないか。それは沖縄が『なんくるないさ』の精神世界だからだ。」

三人の若者が理解できないで途惑っている様子を見ながら推名林蔵はうまそうに酒を飲んだ。

「なんくるないさ精神ですか。」

「そうだ。沖縄にはなんくるないさ精神がある。それが沖縄の人を長生きさせる秘訣なのだ。」

三郎は沖縄に「なんくるないさ精神」があるとい

うのを始めて聞いた。三郎は那覇市で生まれ育った。那覇市は沖縄で一番大きい街である。那覇市に住んでいる性だったかも知れないが、日常の中で沖縄方言を聞くことはほとんどなかった。なんくるないさ精神というものに触れた体験もなかった。三郎が沖縄で生活したのは高校生までであったから、そのまま沖縄に留まり、沖縄の方言を知っている大人たちと混じっていれば、何度も「なんくるないさ」という言葉を聞き、「なんくるないさ精神」の意味を理解できていたかもしれない。

　座は推名林蔵の独壇場になった。

「ストレスを解消する根源的な精神が『なんくるないさ』の精神なのだ。いいか、沖縄ではな、森羅万象すべてに対して『なんくるないさ』の精神で対応するんだ。いいか、『なんくるないさ』だぞ。この『なんくるないさ』が沖縄の精神の根源であり、『なんくるないさ』精神が沖縄の人々を陽気にし、ストレスをなくし、長寿世界一にしているのだ。」

三人の若者は「なんくるないさ」の意味が分からないので推名林蔵の話が理解できなかった。推名為三が「なんくるないさ」の意味を話すのを待っていた三人だった。「なんくるないさ」の意味を教えないで話し続けるのにしびれをきらした大林が

「あのう。」

推名林蔵の話を止めた。

「なんだ。」

「推名さん。なんくるないさとはどういう意味なのですか。」

「すまんすまん。君たちに『なんくるないさ』の意味を説明していなかったな。ううん、私たちの言葉でいうとどういう言葉になるのだろう。」

推名林蔵は腕組みをして考えた。

「分かり安く言うとレット　イット　ビーだな。ほらビートルズの最後の歌がレット　イット　ビーだ。レット　イット　ビーとは、なるがままに任せるという意味だ。『なんくるないさ』を英語でいうとビートルズの歌ったレット　イット　ビーに近いな。」

「レット　イット　ビーですか。」

「そうだ、レット　イット　ビーだ。ドリス・デイが歌ったケセラセラも『なんくるないさ』と同じニュアンスだ。」

「レット　イット　ビーとケセラセラですか。」

「そうだ。ケセーラセーラ。なるようになるさだ。わかるか。」

三人の若者は首をかしげた。

「すみません。レット　イット　ビー、ケセラセラの意味がいまいちわかりません。もっと僕たちが分かるように説明してくれませんか。」

「そうか。わからないか。それは困った。」

困ったと言ったがちっとも困った表情をしていなかった。むしろ、三人の若者が理解できないで迷惑ったいるのが嬉しそうである。

「ううん。どのように説明すれば理解できるかな。なかなか奥が深い言葉だからねえ。なんくるないさとは大自然の生命力に身をゆだねるということかな。沖縄の人間は大自然とともに生きているんだ。大自然とともに生きるということはこせこせしたことにこだわらないでおおらかに生きることだ。大自然に身を任せて生きていくとストレスは発生しない。沖縄の人間はストレスがないんだ。それに大自然には免疫力がある。大自然に身をゆだねて生きている沖縄の人間は大自然から免疫エネルギーを浴びる。だから沖縄の人間は免疫力が高いのだ。免疫力が高いと病気をしない。たとえ病気をしても大自然から得た免疫パワーの治癒力ですぐに治る。沖縄の人間は風邪をひいたくらいでは誰も病院なんか行かない。風邪なんか『なんくるないさ』の自然治癒力のパワーで治してしまう。大自然の生命力に身を任せることが『なんくるないさ』なのだ。どうだ。理解できたか。」

『『なんくるないさ』というのは大自然のパワーを体中に浴びることなのですね。すごいパワーだ。」

「そうだ。ちょっとでも咳をしたり、熱があると病院に駆け込む東京の人間とは違う。なにしろ沖縄の人間は免疫力が違うのだ。沖縄の人間はストレスがなくて免疫力が強い。だから、沖縄の人間は長生きするのだ。」

三人の若者たちは推名為三の話に感動した。

「レット　イット　ビーとかケセラセラも『なんくるないさ』と同じで大自然のパワーを体中に浴びることなのですね。」

大林は大きく頷きながら言った。

「い、いや。それは少し違うな。まあ、レット　イット　ビーとかケセラセラは『なんくるないさ』の軽いものと解釈したほうがいいかもしれないな。」

　三朗は聞き耳を立てて推名林蔵の話を聞いていたが、自分が住んでいた那覇の街と推名林蔵の話す沖縄とは別世界のように感じた。那覇の街はコンクリートの建物だらけだ。道路はアスファルトで舗装されているし、自然と呼べる場所はない。与儀公園には桜やデイゴの木が植わっているが、自然と呼べる風景ではない。海岸もコンクリートの防波堤で囲まれていている。三郎たちの遊びはテレビゲームであったし、遊び場所は舗装された道路や空き地やゲームセンターなどであった。大自然とは縁のない生活だった。

コンクリートの街は那覇市だけではない。那覇市の南側にある豊見城から糸満までの国道沿いはコンクリートの建物が途絶えることなく続いている。那覇市の北側は浦添市、宜野湾市、北谷町、嘉手納町と続くが那覇市から嘉手納町までコンクリートの建物が途絶えることはない。沖縄本島は東京都と同じように全国でもトップクラスの人口密集地である。

熱が出たり、咳をしたりすると、母は心配してすぐに病院に連れて行った。病院からもらった薬を飲まされた。「なんくるないさ」の自然治癒力のパワーは三朗が住んでいた那覇市にはなかったように思う。推名林蔵の言う「なんくるないさ」の沖縄に那覇市は入っていないのは確かだった。

いったい、推名為三の言う沖縄はどこなのだろうと三朗は考えた。那覇市の南側には豊見城市や糸満市がある。しかし、豊見城市から糸満市は那覇市と同じように建物がぎっしりと並び立っているから、どうも自然治癒力があるようには思われない。もっと南に行くと姫百合の塔とか摩文仁の丘とか戦跡地があり、玉城村とか東風平村とかあるが、そこら辺りなら自然が残っているし、自然治癒力のパワーがあるかもしれない。しかし、大自然が残っているのはなんといっても北部だ。

「多分やんばるのことだな。」

三朗は呟いた。

やんばるとは沖縄本島の北側一帯のことをいう。やんばるは漢字で書くと山原という字であり、文字通り山だらけの場所である。名護市から北に進み、沖縄本島の辺戸岬まで、国道は海岸線を通るが、内陸は緑の山々が連なっている。

やんばるには長寿村があると聞いたことがある。やんばるに住んでいる人間は大自然に囲まれて生活しているから大自然に身をゆだねて生きているといえる。だから、やんばるの人間は大自然から免疫エネルギーを浴びているだろう。やんばるの人間は那覇のようなゴミゴミした所に住んでいる人間より免疫力が高くても不思議ではない。やんばるに長寿村があるのも納得できる。

推名林蔵の言うようにやんばるの人間は免疫力が高いから病気をしないかもしれない。やんばるの人間はたとえ病気をしても大自然から得た免疫パワーの治癒力ですぐに治るだろう。推名林蔵は沖縄本島のやんばるの話をしているのだろうと三朗は思った。

「沖縄の人間はストレスがないんだ。分かるか。東京の人間とは違うのだ。沖縄の人間には大自然から享受した大自然パワーつまり免疫力がある。沖縄の人間は風邪をひいたくらいでは誰も病院なんか行かない。風邪なんか『なんくるないさ』の自然治癒力のパワーで簡単に治してしまう。私も沖縄に行くようになってからは病気をしなくなった。君たち。東京はストレスがたまる場所だ。なぜか分かるか。それは大自然の法則に逆らって生きているからだ。ストレスがたまればいらいらするし、不眠症になるし、病気になるのだ。癌もストレスが原因と言われている。沖縄なら、癌も自然治癒力で治してしまう。」

推名林蔵はあわもりと自分の弁舌に酔い、上機嫌であった。

「え、癌も自然治癒力で治してしまうのですか。本当ですか。」

藤田は癌さえも自然治癒力で治すということに驚いた。酔った勢いで、調子に乗って自然治癒力を誇大化して話してしまった推名林蔵は返事に途惑ったが、自分の話を否定するわけにもいかないので、

「君たちはよく病気をするのか。」

と、はぐらかした。

「僕はよく風邪をひく。」

木村竜太は言った。

「子供のときから虚弱体質だったのか。」

「いえ、東京に住むようになってから風邪を引くようになりました。」

木村竜太は答えた。

「僕はアトピーで通院しています。」

大林智一言い、

「東京にきてからアトピーはひどくなりました。」

と言った。藤田和也は、

「僕は花粉症です。毎年、ひどくなっています。」

推名林蔵は満足そうに微笑んだ。

「やっぱり都会生活は免疫力を低下させる。君たちは東京で不健康な生活をやり、それが原因でストレ

スが溜まっているのだ。ストレスが蓄積して君たちの免疫力は低下したのだ。免疫力を回復させるために沖縄に行ったほうがいい。」

若者たちが推名林蔵の話に驚き、感心すると推名林蔵の調子はますます高まっていく。

「沖縄が世界一長寿県であることは世界的にも有名なのだ。だから世界中の学者が沖縄の長寿を研究しにやってきている。学者たちが注目しているのは沖縄の料理だ。確かに料理も長寿の秘訣ではあるが、私に言わせれば、長寿世界一の原因はなんといっても『なんくるないさ』の精神だな。『なんくるないさ』の精神があればこそ免疫力が高まり、免疫力が高まるから世界一長寿県となったのだ。外国の学者どもは沖縄料理に長寿の秘密があると言って、沖縄料理を研究しているが、まあ、それも一理はあるかもしれないが、しかし、なんといっても沖縄全体に溢れている『なんくるないさ』の魂が世界一長寿の本当の源だと私は断言するな。」

　三郎は推名林蔵の「なんくるないさ」という言葉を聞いているうちに宇嘉利島のハルばあさんのことが頭に浮かんだ。宇嘉利島は三朗の祖父母が住んでいる島で、老人が十人ほどしか住んでいないとても小さな島だ。小学生の時は夏休みに宇嘉利島によく行った。しかし、宇嘉利島は老人と真っ白な浜と小さな広場しかなかったので遊び盛りの中学生になると宇嘉利島は窮屈な島だったから、中学生になってからは夏休みになっても行かなくなった。高校を卒業した時に祖父母に高校を卒業したことを報告するために行ったのが最後だった。

　三朗が推名林蔵の「なんくるないさ」という言葉を聞いているうちに宇嘉利島のハルばあさんのことが頭に浮かんのはハルおばあさんの口癖が「なんくるないさ」だったからだ。太郎たちは口癖のように「なんくるないさ」を連発するハルばあさんをなんくるばあさんと呼んでいた。子供がひざを擦りむいたりして怪我をしたときに、普通の人なら、「早く家に行って、傷口を洗ってから薬を塗りなさい。」と言ったり、道端のオオバコの葉を揉んで傷口につけたりしてくれるのだが、ハルばあさんだけは、

「なんくる治るから。」

と言うだけだった。お腹が痛い時にも、

「なんくる治るから。」

と平然と言うだけだった。

傷ができたら傷薬をつけ、お腹が痛くなったら薬を飲むのが常識である。太郎たち子供は、治療をしないで、「なんくる治るよ。」と言ったハルばあさんを常識を知らない老人だと嘲笑した。

子供だった太郎はなんくるないさの意味は知らなかった。推名林蔵がなんくるないさはケセラセラやレット・イット・ビーと同じ意味だと言ったのには新鮮な驚きを感じた。

「なんくるないさ」とはハルばあさんのようになにも努力をしない無責任な人間が使う言葉だと太郎は思っていた。しかし、推名林蔵の説明によると、「なんくるないさ」はとても深い哲学的な意味を含んでいる。太郎は、「なんくるないさ」という言葉の意味の深さに感動した。

調子に乗って話している推名林蔵であったが、急に話を止めて三人の顔を見回した。そして、

「私はね。」

と言ってあわもりを飲んだ。

「沖縄に移住しようと思っているんだ。」

「ええ、沖縄に移住するのですか。」

三人の若者は驚いた。

「沖縄で古本屋をやるのですか。」

「沖縄で古本屋をやっていけるのですか。」

推名林蔵は手を横に振った。

「いやいや、沖縄で古本屋はやらない。私は古本屋を隠退するつもりだ。沖縄では古本屋とは畑が全然違う仕事をしようと考えている。」

と言って話を止め、推名林蔵は三人の若者の顔を代わる代わる見た。

「私がどんな仕事いや商売をしようとしているが分かるかな、諸君。」

「いえ、全然分かりません。」

「実はな、民宿をやろうと思っているのだ。」

「え、民宿ですか。」

古本屋と民宿は仕事の内容が全然違う。推名林蔵が民宿をやるといったので三人は驚いた。

「ああ、民宿だ。世界一長寿の島の沖縄は海や自然が素晴らしく観光客も多い。沖縄はこれからも観光客は増える一方だ。だから観光客相手の民宿は絶対に儲けるな。」

「民宿は古本屋より儲けるのですか。」

推名林蔵は苦笑した。

「勿論だ。古本屋は冬の時代だ。以前から若者たちの本離れがあって、年々売り上げは落ちていた。そ

れに追い討ちをかけたのがアマゾンのようなインターネットで古本を売るネットショップの登場だ。アマゾンのような規模の大きいインターネットショップで古本を売るようになってからはますます巷の古本屋は先細りする一方だ。そして、決定的であるのがネット本だ。ネット本には絶版がないのだ。古本屋の存在価値というのは絶版になった本が古本屋にあるということだ。ネット本になって絶版本がなくなけば誰も彼もがネットで古本を探すようになるし、買うようになる。もう、古本屋に将来はない。残念であるがそれが現実だ。東京で古本屋やるよりは沖縄で民宿をやった方が将来性は非常に明るい。」

「沖縄なら民宿で儲けますか。」

「儲ける儲ける。」

「沖縄は観光客が多いですからね。」

「そうか、観光客が多いから民宿は繁盛するかもしれないな。」

「いやいや、観光客といっても、私がいう観光客は旅行会社が団体で連れてくる観光客ではない。そんな観光客は旅行会社が牛耳っているから旅行会社と提携しているホテルに行く。民宿には来ない。」

「それでは民宿では観光客を呼ぶことはできないのではないですか。」

と、大林智一が言った。

「個人で沖縄旅行をしている観光客もけっこういるから、それなりに民宿もやっていけるだろう。しかし、諸君は肝心なことを忘れている。そうじゃないか。」

推名林蔵は得意そうな顔で三人の顔を代わる代わるみた。三人は顔を見合わせて首をかしげた。

「わからないか。」

「はあ。」

「世界は時代が変わった。時代にマッチした商売をすればうまくいくのだ。そうは思わないか、諸君。」

三人の若者は推名林蔵がなにを言いたいのか分からないで、顔を見合わせた。

「インターネットだよ。」

推名林蔵は自信に溢れた顔で言った。

「インターネットですか。」

それでも三人の若者は推名林蔵がなにを言いたいのか理解できなかった。

「そう、インターネットだ。現代はインターネットの時代だよ諸君。ホームページを開設して、民宿を宣伝すればどんどん客が集まってくる。

民宿の商売は大繁盛だ。」

「なるほど、インターネットで宣伝するのですか。それならお客が呼べますね。」

「そんなに客が集まるのなら民宿よりホテルがいいではないですか。」

「いやいや、ホテルは駄目だ。民宿だからこそいいんだ。沖縄の本当のよさとマッチするのはホテルではなくて民宿だ。だから民宿をやるんだ。」

「奥さんは承知しているのですか。」

燃え上がっていた推名林蔵の情熱が一気に落ちた。

「まだ話していない。」

「素晴らしいアイデアですよ。きっと奥さんは賛成すると思います。」

推名林蔵は首を振った。

「そこが一番の難問だな。なんとか説得しなければならない。」

「きっと大丈夫ですよ。」

「うん、まあな。」

説得できないのは推名林蔵がよく知っている。推名林蔵の夢話の癖は昔からあり、昔は妻も推名林蔵の夢話を聞いてくれたが、今では推名林蔵の夢話は無視されているから、最近は妻には話さなくなっていた。だから、推名林蔵は自分の夢話を話すために居酒屋の若者と交じるのだ。そして、若者に酒やつまみをおごってやりながら自分の夢話を語るのだ。

「推名さんの将来の民宿に乾杯。」

「乾杯。」

妻の顔がちらついた瞬間に気が沈んだ推名林蔵だったが、若者たちが推名林蔵の民宿話を信じて乾杯したのに、すっかり機嫌がよくなった推名林蔵はしゃべりがV字回復した。

「いいか、民宿では派手な料理を出してはいけない。ゴーヤーチャンプルー、ナーベーラーチャンプルー、てびち汁などシンプルで免疫力を高め長寿の源と呼ばれている沖縄料理を出せばいい。沖縄には長命草と呼ばれているハーブもあるのだ。」

「ええ、長命草というハーブがあるのですか。」

「そうだ。驚いただろう。食べれば長生きするというハーブだ。長命草は海岸の岩に生えている。海の潮風に耐え、水のない岩で生き延びている生命力の強い薬草なのだ。長命草という名前は気まぐれにつけた名前ではない。長い歴史の体験から生まれた名前だ。長命草と呼ばれるにふさわしいエネルギーがその草には内包しているのだ。民宿の食事はそのような沖縄の料理を出すのだ。庶民の料理だから簡単に作れる。そうそう、フーチバージューシーというのもあったな。」

「どんな料理ですか。」

「フーチバーとはよもぎのことだ。フーチバーのおじやみたいなものだ。よもぎは薬草だよ。薬草を普通の料理として食べるのが沖縄料理なのだ。」

若者たちは推名林蔵の話に興味深々のようだ。

「どうだ。沖縄に行きたくなっただろう。」

「行きたくなりました。」

どうやら若者たちは推名林蔵の話を鵜呑みにし、沖縄に行きたくなったようだ。

「私がつくる民宿の名前はすでに決めてある。民宿の名前は『なんくるないさ』だ。だから、民宿で出す料理は徹底した沖縄料理だ。どうだ、すばらしいアイデアだろう。」

「すばらしいです。」

「私が民宿を始めたら、お前たちも必ず来いよ。」

「はい、必ず行きます。」

「民宿の次にはホテルを建てるからな。ホテルの名前もなんくるないさだ。沖縄なら民宿もホテルも絶対に成功する。」

推名林蔵は民宿を明日にでもつくる勢いで話し、推名林蔵と若者たちの会話は続いた。

「なるほど、インターネットか。」

三郎は呟いた。推名林蔵の夢のある話に三郎は興味を持った。

子供の頃に行った祖父母の住む宇嘉利島で民宿をやっているのをイメージした三郎は民宿が繁盛して、妻や子供がにこにこしている情景を浮かべた。今の苦しい生活を一瞬でも忘れることができた。

宇嘉利島は離れ島であるし観光地でもないから観光客は来ない。だから宇嘉利島で民宿をやっても客は来ない。しかし、インターネットで宣伝するとなると話は違う。それに推名林蔵が絶対成功すると自信満々に語った「なんくるないさ」を民宿のキャッチフレーズにしてインターネットで宣伝すれば離れ島である宇嘉利島の民宿にも客が来るだろう。もしかすると民宿が繁盛するかもしれない。いや、絶対に繁盛する。

酔っている三郎は夢がどんどん大きくなっていき、民宿が繁盛するのを確信した。

三郎は那覇市に生まれ那覇市で育ち、那覇の高校を卒業すると東京に出た。大都会東京で生活するのが三郎の夢であったし、東京には夢が一杯満ち溢れていると信じていた。沖縄は小さな島で、仕事も少ない。高校時代の太郎は沖縄で夢を見つけることができなかった。きっと東京に行けば夢をみつけることができると三郎は信じていた。だから、三郎は東京に来た。

東京で職を転々としながら、自分に合う仕事を探した。しかし、自分に合う仕事が見つからないまま、時は過ぎ、玲子という女性と出会い、同棲し、玲子は妊娠し、玲子とできちゃった結婚をした。子供ができた時、自分に合う仕事を見つけるよりも、給料の高い仕事を探さなければならないと思うようになったが、職を転々としてきた太郎は専門の技術はなかったので、給料の高い仕事に就くことはできなかった。それどころか、正社員にもなれなかった。今の太郎は派遣社員として職を転々とするしかなかった。生活は苦しく、妻の玲子も二人の子供の世話をしながらパートに励んでいる。

夢を求めて東京にやってきた三郎はもういない。今居るのは、家族四人が安定した生活を送りたいと願う三郎だ。

三郎は推名林蔵が沖縄で民宿をやるという話に興味を持った。推名林蔵は「なんくるないさ」を売り物にした民宿をやるという。そして、民宿の次にはホテルまで建てるというのだ。推名林蔵は民宿経営に自信満々だった。

「なんくるないさ民宿かあ。インターネットかあ。」
太郎は推名林蔵のアイデアは素晴らしいと思った。推名林蔵の考える「なんくるないさ」をキャッチコピーにした民宿なら成功するだろうと思った。
「確実に成功する商売だな。」
三郎は呟いた。

三郎は宇嘉利島を思い浮かべた。宇嘉利島は推名林蔵のいう「なんくるないさ」のイメージにぴったりだ。太平洋の真っ青な海に「なんくる」浮かんでいる小さな島が宇嘉利島だ。汚れていない真っ白な砂の中には養殖ではないハマグリなどの貝類が「なんくる」生きている。宇嘉利島の中央には大きながじゅまるの木が植わっているが、大きなかじゅまるは小さな島が大自然の法則の中にどでんと「なんくる」存在しているのを実感させる。

宇嘉利島が「なんくるないさ」の権化のように思えてきた。

三郎は東京の生活に疲れていた。独身の頃はぎりぎりの生活をしていても明日に夢を見ることができた。しかし、二人の子供を養いながらのぎりぎりの生活は明日に夢見ることはできない。明日への不安で一杯だ。あくせくした生活から逃れようとするが逃れることはできない。逃れる方法はひとつである。給料の高い仕事をすることだ。方法ははっきりしているが、しかし、給料の高い仕事を見つけるのは絶望的だ。大都会東京の暗い底で永遠にあくせくしながら生きていくのが三郎の運命だ。三郎はそう考えるようになっていた。それが不幸というわけではない。玲子を愛しているし玲緒と伍空も可愛い。玲子と二人の子供との生活はそれなりに幸せだ。それなりに幸せではあるが、貧しい生活が一生続くかもしれないと考えると虚しくもなるし、こんなはずではなかったとも考える。

そんな三郎が居酒屋で聞いた推名林蔵の「なんくるないさ」を売り物にした民宿の話は三郎に夢を与えた。インターネットで宣伝しながら宇嘉利島で民宿をやれば三郎の一家が悠悠自適な生活を送れるという夢を三郎に持たせた。

アパートに着く頃には、酔っている三郎は民宿をやる決心をしていた。

「絶対に客はうはうは来るな。」

三郎は独り言を言った。

「島で民宿をしてうはうは儲けるのだ。」

三郎は独り言を言った。

古いアパートの階段を上り、二階にある部屋に着くと、三郎はポケットから鍵を出してドアの鍵穴に差し込んでクイっと半回転させてロックを外し、ドアを開けた。

「おかえり、三郎。」

三郎が部屋に入ると玲子の声がした。玲子は子供の服の繕いをしていた。

「ただいま。まだ起きていたのか。」

「伍空が上着を大きく破いたの。だから、繕っているの。」

「そうか。」

三郎は玲子の側に座り、玲子が服の破れを繕っているのを眺めていた。暫くして、

「なあ、玲子。」

玲子に話しかけた。

「なあに。」

「僕の島に帰ろうか。」

三郎が島に帰ろうと突然言ったので玲子はびっくりした。

「なにしに帰るの。私が玲緒と伍空をお父さんお母さんに会わせるために三郎の島に行こうと言ってても三郎が断ったんだよ。どうして急に島に帰ろうというの。急に故郷がなつかしくなったの。」

「いや、そういうわけではない。東京は駄目だ。東京には夢がない。」

「え。」

三郎の意味不明の言葉に玲子は戸惑った。

「東京には夢が一杯あると言ったのは三郎だよ。」

「あれは間違いだったのだ。東京には夢がない。このまま東京に住んでも仕様がない。そうは思わないか。」

「別に、そうは思わないけど。」

生活は苦しいが、東京に住んでいることが仕様がないとは玲子は思っていなかった。

「いや、東京では僕たちは一生貧乏生活だ。」

「三郎。それは悲観すぎる考えだよ。もしかしたら玲緒と伍空が大金持ちになるかもしれないよ。遠い将来のことなんか今から心配してどうするの。」

楽天家の玲子は笑った。

「うん、まあ、そうではあるが。」

太郎は東京悲観論を打ち消すことはできなかった。

「でもさあ、やっぱり東京に住み続けるのは駄目だと思うよ。貧乏生活から抜け出すのは不可能だと思うよ。」

「不可能ではないわ。そのうちに三郎にいい仕事が見つかるかもしれないじゃない。」

「うん、そうかもしれないが。」

三郎は民宿の話をすることができなくて困った。そのうちに眠くなった。

「僕は眠る。おやすみ。」

「おやすみ。」

三郎は玲緒と伍空の隣りに横になった。

つづく

連載小説

ゴドーと歩きながら1

南緯135度西経13度。南半球。オーストラリア大陸にあるシドニー市の西側の名もない場所。荒涼とした広場。ペンキが剥がれて足が錆びついているベンチがひとつぽつんとある。ここは公園かも知れない。いや公園だったかも知れない。入り口らしい所はないし木はあちらこちらに植わり、木と草とベンチ以外はなにもない広場。ベンチがあるから、でも管理者は居ないしベンチ以外に設備らしきものはなにもないから錆びれた公園であるのかもしれない。ベンチの前に車道の名残りがあるからもしかすると廃止になったバス停かも知れない。とにかく古びた公園のような広場にペンキが剥がれたベンチがあり、ベンチには日本からやってきた八十三歳の孝一郎と七十八歳の花子が座っている。花子はここが公園と思ったからタクシーを降りた。だからここは花子には公園である。人が居ないさびしい公園だが。そんな公園は日本の至る所にあるのだから、人が居ないさびしい公園に花子は違和感を感じなかった。

古びたベンチに孝一郎と花子は疲れを癒すように肩を落として静かに座っていた。

「ここはどこなのですか。孝一郎さん。」

自分がどこに居るのか忘れることの多い認知症の花子は孝一郎にここがどこなのかを聞いた。

赤茶けた地面。

濃い緑の葉が輝いているあちらこちらの木々。

ここは日本ではないことはなんとなく分かる。というより、花子は日本から飛行機に乗って外国に出かけたような気がする。だからここは日本ではないと予想ができるし風景も花子が見慣れた日本のあちらこちらの風景とは違っているからここは日本ではないと感じている。しかし、日本ではないことは確かであるが目に入る風景は見たことがないし、ここがどこであるか花子は全然知らない。自分の居る場所がどこであるか知らないから花子は不安になる。だから花子はとなりに座っている孝一郎に、「ここはどこなのですか。孝一郎さん。」と聞いた。

黙々とパソコン操作をしている孝一郎は花子の声

が聞こえないようである。孝一郎はパソコンのキーを打ち続けて、ここがどこであるかを花子に教えてくれない。孝一郎がなにも言わないので、ここがどこなのかを知るために、花子は立ち上がって回りの風景を見回した。

地平線が遥か彼方に見える。遥か彼方の地平線が見えるから、ここは日本ではない。日本ではないかも知れないがもしかすると日本かも知れないと花子は思う。しかし、日本なら当たり前に見慣れている田園風景、稲の緑の絨毯は見えない。日本なら至る所に緑の雑草や木々が地面を覆っているはずなのにここは緑の木々があちこちに点在しているだけで剥き出しの赤地が広がっている。

ここは日本ではない。花子にも分かる。しかし、ここがどこなのか花子は分からない。見慣れぬ広大な風景。ここはどこなのだろう。花子は公園らしき場所の古いベンチに座っている自分がどこに居るのかを知りたかった。

花子は日本に住んでいる。しかし、ここは日本ではない。日本からここへやって来たらしい。日本の空港から旅客機に乗ってどこかの国へやって来た。はじめてやって来た空港だったかしら。花子は昔のことを思い出すのが億劫だったから、たぶん初めて来た空港だろうと考え、初めてやって来た空港といううことにした。花子と孝一郎ははじめてやって来た空港からタクシーに乗ってこの公園にやって来た。タクシーから見つけた古ぼけたベンチと広場。花子はタクシーを止めてからこのベンチにやって来た。空港からタクシーに乗り、タクシーから下りてここまでやって来たことは容易に思い出すことができる。でも、なぜこの広場へやって来たのかなぜ古いベンチに座ったのか、その理由を花子は思い出せない。日本の空港を飛び立ってこの国に来たのだからこの国に来るのが目的であったはずである。でもこの国はなんという国だろう。日本で飛行機に乗るまではこの国の名前を知っていた筈である。日本の空港を思い出し、旅客機に乗ったことを思い出した後にこの国の名前を思い出す努力をすればきっとこの国の名前が頭に浮かんで来るに違いない。しかし、今の花子は思い出すのがとても億劫になる。最近の花子は過去を思い出すという作業がとても面倒だと思うようになっていた。過去を振り返るということが億劫ということではない。自然に頭に浮かんでくる過去を思い浮かべることは億劫ではないしそれは素直に歓迎する。しかし、無理やりに過去を思い出す作業はとてもとても億劫だ。だから、ここがどこなのかを知るために過去の記憶を無理やり辿る行為は花子には面倒くさいし億劫であったから飛行機に乗るまでの記憶を辿る作業はやりたくなかった。でもここがどこであるかを知りたかった。だから花子は孝一郎に、

「ここはどこなのですか。孝一郎さん。」

と聞いたのだ。

ノートパソコンに夢中になっている孝一郎の耳は花子の声に反応しなかった。花子の声が小さいからノートパソコンに夢中になっている孝一郎には花子の声が聞こえないのだ。声を大きくすれば孝一郎は花子の声に気づくはずであるが、花子は大声を出す性格ではなかったので声を大きくしてまで孝一郎に聞きたい気持ちにはなれかった。花子は普通の声でもう一度、

「ここはどこなのですか。孝一郎さん。」

と聞いた。孝一郎はパソコンから目を離して花子を見ようとはしなかった。

花子は孝一郎がノートパソコンに夢中になり花子の相手をしてくれそうもないのでベンチから離れた。花子はゆっくりと公園らしい所を歩いた。風は止んでいる。空の真っ白な雲は動かないでじっとしている。まるで時間が止まっているようだ。公園らしい広い広場に人の姿は見当たらない。人の姿が見えないから自然の風景はますます強烈に花子の目を刺激する。初めて見る風景だなあと思いながら花子はじっくりと風景を見回した。見慣れぬ風景にどきどきしながら花子は白い日傘を翳し広場を歩いた。

花子は一人で歩いていることが不安になり振り返って孝一郎の方を見た。花子はいつのまにか百メートルも孝一郎から離れている所に来ていた。孝一郎から百メートルも離れた場所に立っているのに気づいて花子は驚いた。孝一郎は花子が百メートルも離れた場所に立っていることに気付いている様子もなくノートパソコンに夢中になっている。

花子は知らない土地で孝一郎から百メートルも離れていることが不安になった。知っている土地なら

孝一郎と遠く離れていても不安な気持ちは起こらない。でもここは知らない土地である。花子は知らない土地に立っていることに不安が増して行った。急いで孝一郎の側に戻らなくては・・・。花子が歩こうとした時、突然突風が起こり花子を襲った。土埃が花子を包み、一瞬の内に白い帽子が飛んでいき、悲鳴を上げる余裕もなく花子の髪や服は乱れ、日傘は突風に奪われてしまった。花子は恐怖に襲われて、なにがなんだか分からなくなった。突風が花子を襲ったのはほんの数秒であった。数秒の突然の恐怖に襲われた花子。恐怖の出来事が消えた後はなにも起こらなかったかのようにすうっと平穏な自然に戻っている。花子は自分になにが起こったのか分からない。突然なにかが起こって平穏に戻った時には花子の頭に被っていた白い帽子は頭から消えていた。日傘も花子の手から離れていた。

　花子は辺りを見回した。白い帽子と白い日傘は十メートルも離れた赤土の上に転がっていた。突然の恐怖の出来事に花子の心臓は激しく鼓動を打つ。心が動揺している花子は白い帽子と白い日傘を見つけても直ぐに取りに行くことはできない。立ったまま白い帽子と白い日傘を見詰めていた花子は心臓の鼓動が落ち着いたので白い帽子を拾うために歩き始めた。するとピピピピピピと甲高い電子音が聞こえてきた。花子は突然の電子音に驚き、辺りを見回してピピピピピ音のする方を探した。しかし、ピピピピはとても近くから聞えてくるように思えるが逆にとても遠い所から聞えてくるような気もするし、右の方から聞えてくるような気がするが逆に左の方から聞こえてくるような気もする。

　ピピピピピ音は鳴り続け、花子はぐるぐる回りながらピピピピ音を発している正体を近くの地面の上や草の周りを探したり遠くの方を目で探したりした。しかし、どこに目をやってもピピピピピ音を発している物体を見つけることはできなかった。ピピピピピ音はいつまでも鳴り続ける。

　花子は鳴り止まないピピピピヒ音に恐怖が募っていった。正体不明のピピピピヒ音に花子は頭が狂いそうになった。

「ああ。」

と何度も悲鳴を上げながら花子はぐるぐると回転した。すると新たなピピピピピ音が近づいてきた。なぜか知らないが新しいピピピピピ音が聞えてくる方向は直ぐに分かりその方に目をやると孝一郎が急ぎ足で近寄ってくるのが見えた。孝一郎の姿を見た瞬間に花子の心は落ち着き、体の回転を止めて孝一郎の方を向き、孝一郎が来るのを待った。近づいてくる孝一郎の姿を見ていると不思議にピピピピピ音への恐怖も消えた。

　孝一郎は花子の腰に手を回すと携帯電話を取ってスイッチを切った。するとピピピピピ音は消えた。ピピピピピ音の正体は孝一郎から百メートル以上離れると発信音が出るようにプログラミングされている花子の腰に下げてある携帯電話の音だった。花子は孝一郎にピピピピピ音を止めてくれたお礼を言いたかったがショックがまだ消えていない花子は頭が混乱していてなにも言えず微笑しながら孝一郎を見詰めるだけだった。

「髪が乱れています。どうしたのですか。」

孝一郎は花子の髪の乱れを直し、白い帽子と白い日傘を拾ってくると花子の頭に白い帽子を被せ、白い日傘で太陽の光線を遮り、花子の手を引いてベンチに戻った。

「手が震えています。花さん。なにがあったのですか。」

孝一郎は花子に聞いたが花子は自分を襲った正体がつむじ風であったことを知らなかったからなにが起こったのか花子には分からなかった。突然なにかが起こりそのなにかが白い帽子と白い日傘を花子の体から離していったとしか花子には思えなかった。

　白い帽子と白い日傘が十メートルも離れた場所に転がっていたということは突風が吹いたのだろうと孝一郎は推理した。

「突風が吹いたのですか。」

孝一郎は聞いた。しかし花子は呆然としていて戸惑いの微笑をしながらなにも話せなかった。

「花さん。突風が吹いただけです。」

孝一郎は言った。でも、花子は孝一郎の話を飲み込むことができずに微笑しながら心は呆然としているだけだった。

「花さん。突風です。突風が吹いただけです。驚くことはありません。花さんの帽子や日傘を飛ばしたのは突風です。風ですよ、風。」

「風ですか。」

「そう、強い風です。」

「強い風ですか。」

「そう、突風です。」

「突風ですか。」

「そうです。強い風が花さんの白い帽子と白い日傘を飛ばしたのです。」

「白い帽子と白い日傘を飛ばしたのですか。」

「そうです。突風が吹いたのです。」

花子を襲ったのが突風であることが花子にもやっと理解できた。突風なら被っている白い帽子を空中に放り投げ、白い日傘を花子の手から奪っても不思議ではない。

「突風なのですか。」

花子の体はまだ震えていた。

「そうです。突風です。」

「突風なら私の帽子や日傘を吹き飛ばすことができますね。」

「突風ならできます。」

「突風だったのですね。」

花子はほっと胸を撫で下ろした。

「私の体を土埃と一緒に舞い上げようとしました。」

「そうですか。恐らくつむじ風だったのでしょう。」

「つむじ風ですか。」

「そう、つむじ風です。」

孝一郎が花子を襲った正体はつむじ風だと説明したことに花子は納得した。つむじ風なら巻き上げた土埃で花子を包み白い帽子を空中に放り出し白い日傘を花子の手から奪ってしまうだろう。花子は心が落ちついてきた。体の震えも止まった。

「ベンチに戻りませんか、花さん。」

花子はベンチに戻りたくなかった。ベンチに座っているのは退屈である。花子はもっと公園の回りを散歩したかった。

「ベンチに戻るのですか。」

花子はベンチに戻るのを渋った。


「花さんはベンチに戻りたくないのですか。」

「ベンチに座っているのは退屈です。」

「退屈ですか。」

「退屈です。」

「そうですか。」

「孝一郎さんは退屈ではないのですか。」

「退屈ではありません。」

「私は退屈です。孝一郎さんはなぜ退屈ではないのですか。」

「パソコンで株の売買をしていますから退屈ではありません。」

「株の売買ですか。私はベンチに座ってやることがありません。」

「回りの風景を眺めることができます。」

「それは終わりました。」

「あれこれと考えることができます。」

「あれこれと考えました。あれこれと考えるのも考えものです。頭が痛くなってしまいます。」

「頭が痛くなるのですか。」


孝一郎の手に引かれて歩いていた花子は孝一郎と話している内に何時の間にかベンチの前に来ていて、孝一郎と話している内にベンチに座っていた。

「あれこれと考えると頭が痛くなるのです。」

ベンチに座った花子はいごこちが悪そうに言った。

「あれこれと考えると頭が痛くなるのですか。それではあれこれと考えないようにすることが大切ですね。」

孝一郎はノートパソコンを膝の上に置いてＥｎｔｅｒキーを押した。黒い宇宙に無数の流星が流れていたスクリーンセイバーの画面が消えて株式会社のリアルタイム株価の画面に変わった。

「空の白い入道雲は動きません。いつまでもあそこに居たままなのですかねえ。」

空を見上げている花子の声に孝一郎は空を見上げた。

「ああ、止まっているように見えますねえ。でも少しづつは動いていているでしょう。時計の針のように。」

と言ってからノートパソコンに目を移した。暫く雲を見詰めていた花子は地上に目を移した。

「あの木はなんという木なのでしょうか。」

孝一郎は花子の顔を見て、花子の顔が向いている方向に目を移した。花子が見つめているのは百メートル以上離れた場所に立っている大きなゆうかりの木だった。

「あれはゆうかりの木です。ゆうかりの葉はコアラの食べ物です。不思議なことにコアラはゆうかりの葉しか食べません。」

「コアラさんはゆうかりの木の葉しか食べないのですか。」

「そうです。」

花子は立ち上がってベンチを離れた。

「どこへ行くのですか。」

「あのゆうかりの木の方に行ってコアラが葉を食べているのを見てきます。」

「あのゆうかりの木にコアラは居ないですよ。」

「どうしてですか。」

「コアラは動物園かゆうかりの木がたくさん生えている山の中にしか棲んでいません。一本しかないゆうかりの木にはコアラは棲んでいません。」

「棲んでいないのですか。とても大きい木なのに。」

「とても大きい木ですが、一本しか生えていません。コアラは棲んでいません。」

花子はゆうかりの木を見たまま立っていた。

「あのゆうかりの木にはコアラは棲んでいません。花さん。座ってください。」

花子はベンチに座った。花子はじっとゆうかりの木を見詰めた。

孝一郎は時々花子を見ながらパソコン操作をした。株価の動きが膠着した状態になったので孝一郎はパソコンから目を離して花子を見た。

花子はベンチに座り仏像のように動かずじっとゆうかりの木を見詰めている。

孝一郎は思案した結果、これから上昇していくだろうと推測できる日本通信株に67，400円で二株の買いを入れた。買いをセットした後に顔を上げて花子を見た。

花子はベンチに座り仏像のように動かずじっとゆうかりの木を見詰めている。白い日傘を右手で持ち、右腕の肘をしっかりと腰につけて座り花子は遠くのゆうかりの木を見詰めている。

孝一郎の推測に反して株価は少し上昇してから下降し始めた。上昇傾向なら少し下降して再び上がるはずである。孝一郎は東証平均株価とTOPIXの平均株価とナスダックとヘラクレスの平均株価を見比べながら自分が買ってある株価の推移を分析した。ひょっとしたらそのまま下がり続けるかもしれない。ひょっとすると下げは止まり上昇に転じるかも知れない。円が上がり始めた。アメリカのヘッジファンドはどのように動くのだろう。ヨーロッパのヘッジファンドは買いに入るだろうか。孝一郎はわくわくしてきた。世界の政治・経済情勢に左右されながらヘッジファンドや個人株主の推理や思惑などが蠢いて変動していく株式市場。変化の絶え間がない退屈をしない株式市場。売りか買いが。いやいや今は様子見がいい。下げ底に行くか上げに行くか。孝一郎は株価の推移を見ながら絶えず推測した。

孝一郎がインターネット株の売買に夢中になって花子の話を聞かなくなった時、ゆうかりの木をじっと見詰め続けている花子の脳内イメージには大きなゆうかりの木にコアラが棲んでいるという妄想が生まれた。花子の妄想は次第に確信に変わっていった。花子の脳裏の映像にはコアラが大きなゆうかりの木に上り枝から葉をむしり取ってむしゃむしゃ食べている情景が映った。

　孝一郎は大きなゆうかりの木にコアラは棲んでいないと断言したが、コアラはゆうかりの木の葉しか食べないのなら大きなゆうかりの木にコアラは必ず棲んでいるはずだと花子は思った。ベンチから遠い大きいゆうかりの木を見続けているとゆうかりの木に棲んでいるコアラがむしゃむしゃとゆうかりの葉を食べている情景が見えるような気がした。その妄想が増幅していって花子はゆうかりの木の下に行って、コアラがゆうかりの葉を食べているのを見たくなった。花子は孝一郎の説明は真実ではない気がした。孝一郎は嘘を突いていると花子は思った。孝一郎は花子をゆうかりの木の下に行かしたくないから本当は大きなゆうかりの木にはコアラの家族が棲んでいるのにコアラは居ないと嘘をついていると花子は思った。孝一郎は花子をゆうかりの木の下に連れて行かないだろう。孝一郎が連れて行ってくれないのなら花子は一人でゆうかりの木の下に行きコアラを見るしかない。花子は一人でゆうかりの木の下に行くことを決心した。花子は黙ってベンチから立ち上がりベンチから離れた。

　真っ青な空、真っ白な雲、草の生えていない赤い土の上を歩く花子はベンチから離れていった。白い日傘を右手で持ち、花子の顔は真っ直ぐゆうかりの木を向いていた。

　ピピピピピピピピ・・・・・・・突然、孝一郎の携帯電話が鳴った。孝一郎はピピピピと鳴った瞬間にいつも後悔する。携帯電話がピピピと鳴るということは孝一郎の側にいる筈の花子が孝一郎から百メートル以上も離れた場所に居るということである。株式売買に夢中になりすぎて愛する花子をないがしろにしたから花子は百メートル以上も離れた場所に行くまで孝一郎は気づかなかったのだ。孝一郎は自分の浅はかさを恥じ、株の売買に夢中になって花子から心が離れていたことを後悔した。

　花子はピピピピ音がどこから聞えてくるのか分からずに右往左往していた。白い日傘を掴んでいる右手を上に翳し、背を曲げ、辺りの地面を見たり、白い日傘を見上げたり、くるくると体を回転させたりした。遠くから見ると花子は踊っているように見える。でも、得たいの知れないピピピピ音に恐怖し慄いて花子は踊っているように動き回っているのだ。孝一郎は急いで花子の側に行くと花子の腰のホルダーから携帯電話を取り出してピピピピ音を消した。

「ああ、それがビビビビと鳴っていたのですね。私はピピピという音は宇宙か地面の中からやって来ていると思ってとても怖かったです。」

「この携帯電話からピピピ音は出ています。花さんの腰に掛けてあるのです。」

「そうですか。私の腰に掛けてあったのですか。知りませんでした。」

花子はピピピピ音に惑わされて疲れてしまい、ほっとしたら疲れがどっと出て来て座り込んだ。孝一郎は花子の側に座り携帯電話を花子の腰に掛けてあるホルダーに戻した。

「どこに行こうとしていたのですか。花さん。」

花子は呆然として脳が活動停止をしているので孝一郎の声はただの音にしか聞こえないから孝一郎の質問に反応しなかった。孝一郎は花子の額の汗を拭いた。暫くして花子は立ち上がった。辺りを見回した。ゆうかりの木を見つけると歩き始めた。

「どこへ行くのですか、花さん。」

花子は孝一郎の声に驚いて孝一郎を振り返った。

「どこへ行くのですか、花さん。」

孝一郎が聞くと花子は暫く考えた。

「あのゆうかりの木の方へ行くのです。」

「なぜゆうかりの木の方へ行くのですか。」

孝一郎が聞くと花子は恥かしそうに下を向いた。

「それは言えません。」

花子の以外な返事に孝一郎は驚いた。

「ゆうかりの木の方へ行く理由を言えないのですか。」

花子は戸惑いながら、

「言えないことはないのですが。」

花子の顔が赤くなった。

「孝一郎さんは私がゆうかりの木の方に行く理由をどうしても聞きたいのですか。」

孝一郎は花子がゆうかりの木の方に行きたい理由は知っていたから、無理して花子から聞きたいとは思わなかった。それに花子がゆうかりの木の方に行こうとしている理由を知らなくても無理にゆうかりの木の下に行きたい理由を聞きたいとは思わなかった。

「どうしても聞きたいとは思いません。」

「そうですか。ああ、よかった。」

孝一郎がゆうかりの木の方に行く理由を聞かなくていいと言ったので花子ほっとしてくったくのない微笑をした。孝一郎は花子の手に引かれるままに歩いた。花子と孝一郎はゆうかりの木に近づいていった。ゆうかりの木に近づいていくとそよ風が吹いた。

「風があると涼しいです。」

花子は気持ちよさそうに言った。

「涼しいですね、花さん。」

「ゆうかりの木が風を呼んでいるのかしら。」

「そうかも知れません。」

ゆうかりの木の数メートル近くまで来た時、花子は歩くのを止めた。

「どうしたのですか、花さん。」

花子は歩を進めることに戸惑っている。

「いえ、なんでもありません。」

ゆうかりの木にコアラが棲んでいるかどうかを確かめるのを花子は迷った。コアラはきっとゆうかりの木に棲んでいる。コアラがゆうかりの木に棲んでいるということは長年一緒に生きてきた孝一郎が嘘つきであったということを証明してしまう。花子は孝一郎に嘘つきの夫になってほしくなかった。

「なんでもないのですか。」

心配そうに花子を見ている孝一郎の顔を正面から見ることができなくて花子は目を伏せた。

「なんでもありません。」

花子は小さな声で答えた。

「なんでもないのなら歩きましょう。」

孝一郎は花子の手を引っ張った。

「そうですね。歩かないといけないですね。」

花子は歩こうとするが足が動かなかった。孝一郎は花子の手を取り歩を進めた。孝一郎が迷いもなくゆうかりの木の方に歩いていくので花子はゆうかりの木にコアラは棲んでいないかも知れないと不安になった。

もし、ゆうかりの木に一匹のコアラも棲んでいないとすると花子は本当のことを言った孝一郎を嘘つき呼ばわりをしたことになる。花子が孝一郎を嘘つき呼ばわりしたのを孝一郎は知らない。でも孝一郎を嘘つきだと思ったのは花子なのだから花子は知っている。花子は孝一郎の手に引かれながら歩いたが前に進みたくないという気持ちが足の運びをぎこちなくさせて体がふらついて転びそうになった。

孝一郎と花子は大きいゆうかりの木の下に来た。花子はゆうかりの木を見上げてなにかを探している。花子はきっとコアラを探しているのだと孝一郎は確信していた。

「なにもいないですよ。」

孝一郎が言っても花子は孝一郎の声が聞こえないらしくしきりにゆうかりの木を見上げていた。

「なにもいないですね。」

花子は溜息をついた。孝一郎が推測していた通り花子はゆうかりの木のコアラを探していた。しかし、ゆうかりの木にコアラを見つけることはできなかった。花子は暫くの間コアラを探したがコアラはゆうかりの木に居ないようだ。花子はコアラを見つけることを諦めた。花子は心の中で孝一郎を嘘つき呼ばわりしていたことを謝った。

ざざーっと風が吹いてきてざわざわとゆうかりの木の枝と葉が騒いだ。

「木の下は涼しい。」

ゆうかりの木を見上げながら孝一郎が言うと、

「木の下は涼しいです。」

ゆうかりの木を見上げながら花子は言った。ゆうかりの木の下で涼を感じていた孝一郎だったが、ベンチに置いてきたノートパソコンが気になってきた。

「ベンチに戻りましょう、花さん。」

花子は涼しいゆうかりの木の下に留まりたかったのでベンチの方に行くのを嫌がった。

「ベンチにパソコンや荷物を置いてあります。だから戻らなくてはならないのです。」

孝一郎は説得したが、涼しい木陰から花子は離れたくなかった。

「それではベンチの荷物を取って来ます。花さんはここに居てください。」

孝一郎はゆうかりの木陰から出てベンチの方に向かった。

「孝一郎さん。」

後ろで花子の声がした。不安そうな声だった。孝一郎が振り返ると花子は孝一郎の方に向かって歩いていた。

「私も行きます。」

花子は離れていく孝一郎を見ていると置き去りにされていくような不安が募ってきて、ゆうかりの木の下に一人だけで居ることができなくなり孝一郎を追った。孝一郎は立ち止まり花子を待った。近寄って来て差し出した花子の手を握ると孝一郎はベンチに向かって歩いた。

　ベンチに戻ると孝一郎はノートパソコンを開いてＥｎｔｅｒを押して暗くなっていたモニターを明るくした。株売買画面を見ると仕掛けてあった株は売れていた。うまい具合に今日の最高値で売れていた。孝一郎は再びパソコンに夢中になり、ゆうかりの木の下に戻る約束を忘れてしまった。花子もゆうかりの木からベンチに移動する最中にゆうかりの木に戻る約束を忘れていた。

　花子は少し疲れていたから静かにベンチに座っていた。遠くの方に赤い色の丘がある。花子が見慣れている丘は緑色の丘だ。珍しい色の丘を花子はぼんやりと見詰めていた。

　ここはどこなのだろう。花子の脳裏にふっと疑問が浮かんだ。ここはどこなのだろう。赤茶けた地面。濃い緑の葉が輝いている木々。ここは日本ではないことはなんとなく分かる。小さな丘が遠くに見えるが丘には低い木が点在している。地肌が剥き出しになっている丘は赤っぽい。日本の丘は緑に覆われていて赤っぽい丘は見たことがない。地平線が丘の遥か彼方に見える。遥か彼方の地平線に至るまで平野はつづき、平野には稲らしき緑の絨毯は見えない。緑が点在しているだけだ。日本なら一面に緑の雑草や木々が地面を覆っている。ここは日本ではないことは分かる。しかし、ここがどこなのか花子は知らない。ここはどこなのだろう。花子は公園のベンチに座っている自分の場所がどこなのか知りたかった。しかし、パソコンに熱中している孝一郎にここがどこであるかを聞く気にはなれなかった。ただここはどこなのだろうとぼんやりした思考を繰り返していた。

　花子はベンチに座ったまま何時の間にかうたたねをしていたようだ。目を開くと赤っぽい風景が目に映った。

「ここはどこなのですか。」

無意識に口に出した。孝一郎を向くとノートパソコンを膝に置いたまま首を垂れている。孝一郎はうとうとと居眠りをしていた。

「孝一郎さん。」

声を掛けたが、孝一郎は反応しなかった。

「孝一郎さん。」

孝一郎が顔を上げれば「ここはどこですか。」と聞きたい花子だったが孝一郎が顔を上げなかったので何度も孝一郎を呼んだ。花子の声に孝一郎は顔を上げた。孝一郎が起きたので花子は、

「ここはどこですか。」

聞いた。目の覚めた孝一郎は株価の状況に関心は強かったので花子の質問は聞かないでパソコンのモニターに夢中になった。孝一郎がうとうとしているほんの十分間に東証株価が２００円近く下がっていた。もっと下がるのかそれとも今が底で再び上昇するのか。上昇気配なら買いである。もっと下がるのなら様子見だ。もう少しで株売買は終わる。最後の決断の時である。株の動きに集中している孝一郎にはますます花子の声が聞こえなくなっていた。

・・・・ここはどこなのだろう・・・・

花子は立ち上がって周囲を見回した。すると赤い土の道を歩いている人間らしき姿が見えた。花子はじっと人間らしき姿を見詰めた。人間らしき物体は花子の居る方に近づいて来る。人間らしき物体はぼやけて見える視界から焦点が合う視界の範囲内に入ったが、やっぱり花子が予想した通り人間らしき物体は人間であった。ぼやけて見える視界に居た時は一人に見えていた物体は焦点が合う視界に入ってくると二つの人間の姿になった。二人の人間はリュックを背負い黙々と歩いている。一人の人間は男のようだ。もう一人の人間は女のようだ。三十代の男と女のカップルだ。二人は薄茶の探検用の服を着ていた。

男の名前はボブ、女の名前はマリーである。二人とも黒いサングラスを掛けていた。

花子は二人が花子の居る場所に来ることを期待しながら黙々と歩いている二人の人間を見詰め続けた。二人とも金髪だった。花子は歩いて来る男女が膚の白い金髪の人間であることを知り、ここが色の黒い人が棲んでいるアフリカやインドなどではなく、金髪の人間が棲んでいるアメリカかヨーロッパ当たりだと予想した。花子はベンチに置いてあるバッグを開いた。バッグの中には音声翻訳機が入っている。音声翻訳機は英語やフランス語やドイツ語やスペイン語だけでなくスワヒリ語など世界四十八国の音声言語を翻訳する能力があるすぐれものである。花子はバッグから音声翻訳機を取り出した。音声翻訳機は携帯電話くらいの大きさで手の平サイズである。花子は音声翻訳機を手に持ってスイッチを入れて二人の人間が近づくのを待った。暫くして、音声翻訳機にはイヤホーンとマイクを設置しないと使えないことを思い出し、バッグの中にあるイヤホーンとマイクを探した。二人の人間はどんどん近づいて来る。花子はイヤホーンの端末を音声翻訳機に差し込もうとしたが音声翻訳機にはイヤホーン、マイク、バッテリー、パソコン等への接続口があり、花子はイヤホーンの接続口を知らなかったからイヤホーンを接続するのに時間が掛かった。やっとのことでイヤホーンを接続すると花子は急いでイヤホーンを右の耳に押し込んだ。老人の動作は遅く、花子が音声翻訳機を取り出してイヤホーンを右の耳に押し込んだ時にはボブとマリーの二人はまぢかに迫っていて、花子は急いでマイクを接続しようとしたがなかなかうまくいかなかった。やっとのことでマイクを接続した時にはボブとマリーは花子の側を通り過ぎようとしていた。花子はあわてて音声翻訳機の翻訳国のスイッチを入れてマイクを持つと金髪のボブとマリーを呼び止めた。

「もしもし。」

花子がマイクに向かって声を発するとすぐに音声翻訳機から外国語が流れた。二人はびっくりして振り返った。花子は背の高いボビーに近づき、顔を上げて自分の居る場所を聞いた。

「ここはどこですか。」

マイクに言うと音声翻訳機から外国語が流れた。花子は「ここはどこですか。」という日本語を翻訳した外国語が二人の外国人に伝わったと思ったからマイクを背の高いボブの方に向けてボブの返事を待った。マイクを向けられたボブは首を傾げて返事するのに困った様子だ。花子は背の高い金髪のボブが返事をするのに困った顔をしたので音声翻訳機が故障したのではないかと不安になった。花子はゆっくりと丁寧に言った。

「こ・こ・は・ど・こ・で・す・か・。」

音声翻訳機から外国語がゆっくりと流れ出した。背の高い金髪のボブは音声翻訳機から発せられた言葉が理解できないという風に両手を広げてマリーと顔を合わせた。マリーも理解できないという風に両手を広げた。花子はもっとゆっくりとマイクに「ここはどこですか。」と話した。しかし、背の高い金髪のボブは腕組みをして首を振りながら花子の知らない外国語を話した。すると、音声翻訳機は、

「私は彼の言葉を日本語に翻訳することは出来ません。彼はオーストラリア英語を話していません。あなたはスイッチを押し間違えていませんか。もう一度確かめて下さい。」

と言った。花子は自分の操作に間違いがある筈はないと確信していた。きっと音声翻訳機が故障したのだ。音声翻訳機が故障したので音声翻訳機が使えないと思った花子は途方にくれた。

「アナタハ、ニホンジンデスカ。」

背の高い金髪のボブは自分の胸の高さしかない白髪の女性に腰を曲げて話した。花子は背の高い金髪の外国人が突然「あなたは日本人ですか。」と言ったので驚いて後ずさりしてまじまじと背の高い金髪の外国人を見た。外国人は少し困った風な顔をし、微笑しながら、

「ワタシハ、ニホンゴヲスコシワカリマス。」

と言った。花子は外国人と話す時は音声翻訳機で対話するものだと信じている。背の高い金髪の外国人がたどたどしい日本語のような言葉を使ったので花子は困った。外国の外国人は外国語を話すものだ。ここは日本ではない。日本に棲んでいる外国人が日本語を話すのは理解できるが、外国人が外国の地で日本語を使うのは変であるし気味が悪い。花子は気味が悪くなってどのように対応すれば分からずにどきまぎしたが、気味悪さを打ち消すために花子は音声翻訳機の音量を上げて再びマイクに、

「ここはどこですか。」

と言った。音声翻訳機から耳をつんざくような大声が発せられたので背の高い金髪のボブとマリーは思わず耳を押さえて、花子の知らない言葉を発した。

「私は彼の言葉を日本語に翻訳することは出来ません。彼はオーストラリア英語を話しています。あなたはスイッチを押し間違えていませんか。もう一度確かめて下さい。」

音声翻訳機はさっきと同じ言葉を繰り返した。

「オバーサン。ワタシハニホンゴガスコシワカリマス。」

背の高い金髪の青年は言った。すると音声翻訳機は

「私は彼の言葉を日本語に翻訳する必要がありません。あなたはスイッチを押し間違えていませんか。もう一度確かめて下さい。」

と言った。花子は困った。日本語しか知らない花子は外国の地で会話をする時は音声翻訳機だけが頼りなのだ。ところが翻訳機は無情にも「私は彼の言葉を日本語に翻訳する必要がありません。」と言って花子のために背の高い外国人の言葉を翻訳することを拒否した。「あなたはスイッチを押し間違えていませんか。」と言ったが花子はスイッチを押し間違えた覚えはない。音声翻訳機は音声翻訳することを放棄してしまった。外国語を一言も話せない花子は音声翻訳機が使えなければどうしようもない。花子は音声翻訳機が故障したのだと思った。もう音声翻訳機に

った。

頼るわけにはいかない。花子は背の高い金髪の外国人の手を握ると孝一郎の居るベンチの方に連れて行った。

「あなた。この音声翻訳機はまた壊れてしまいましたわ。もうしょっちゅう故障する音声翻訳機ですこと。」

いらいらした花子の声にノートパソコンを覗き込んでいた孝一郎は顔を上げた。花子の側に二メートル近い大男が立っているのに孝一郎は驚いた。

「あなた。この音声翻訳機はまた壊れてしまいましたわ。もうしょっちゅう故障する音声翻訳機ですこと。」

孝一郎はポケットから音声翻訳機を出した。マイクとヘッドホーンを接続してからヘッドホーンを耳に入れ、マイクに

「あなたは誰ですか。」

と言った。音声翻訳機からオーストラリア英語が流れた。背の高い金髪の外国人が話すと音声翻訳機から日本語が流れた。

「私はボブです。彼女はマリーです。」

マリーが「ハウドゥーユードゥー。」と言って孝一郎に握手を求めてきた。

「私は孝一郎です。彼女は花子です。日本から来ました。」

「私たちはシドニーから来ました。徒歩旅行をしています。孝一郎さんは日本から来たのですか。こんな何もない広場に居るのは珍しいですね。オーストラリアには素晴らしい観光地がたくさんあります。もう色々な観光地をまわったのですか。」

「いいえ、今日の朝、オーストラリアに来ました。」

孝一郎が音声翻訳機を使ってボブと話していることに花子は不満だった。

「孝一郎さん。私の音声翻訳機は故障したというの

に孝一郎さんの音声翻訳機は故障していません。私はボブさんと話すことができないしマリーさんと挨拶することもできません。」

孝一郎は花子の音声翻訳機を調べた。

「花子さん。ここはドイツではありません。ドイツ語で話しても理解されませんよ。」

と言いながらスイッチをオーストラリア英語翻訳に切り替えて花子に渡した。

「まあ、そうでしたの。私は音声翻訳機が故障したと思いましたわ。」

「この機械が故障したことは一度もないですよ。いつも、花子さんはスイッチを押し間違うのだから。」

孝一郎の話は花子の耳に入っていなかった。花子は音声翻訳機のマイクを掴むとボブに向かって、

「ここはどこですか。」

と言った。音声翻訳機からオーストラリア英語が流れ出した。ボブは苦笑いしながら答えた。

「ここはシドニーから西に五十キロくらい離れた場所です。」

音声翻訳機からやさしい声の日本語が聞こえてきた。花子は音声翻訳機から慣れ親しんだ日本語の声が聞えてきたので安堵した。

「シドニーから西に五十キロくらい離れた場所ですか。ここはどこですか。」

花子が聞いたのでボブは困った。ボブはマリーに聞いたがマリーもここの地名を知らなかった。

「ここはどこですか。」

ボブは辺りを見回しながら地名を思い出そうとしたが初めて来た場所であり、ここの地名は記憶になかった。

「花子さん。すみませんが、私はここの地名を知りません。」

「地名を知らないのですか。」

「はい。」

「ここはどこですか。」

「ええと、困ったな。」

ボブはマリーを見たが側にいるはずのマリーは孝一郎の側に座ってノートパソコンを覗いていた。ボブは苦い顔をした。


「ここはどこですか。」

「ええと。困ったな。地名は分からない。花子さん。ここはシドニーから西に五十キロくらい離れている所ですとしか言えません。」

「シドニーはどこですか。」

「シドニーはここから東に五十キロ進んだ所にあります。シドニーは有名ですが、花子さんはシドニーを知らないのですか。」

「シドニーはどこにあるのですか。」

花子がマイクに話すと音声翻訳機から流暢な若い女性のオーストラリア英語が流れた。ボブは「シドニーはどこにあるのですか。」と花子に聞かれて答えるのに困った。花子は日本人である。オーストラリアに旅行に来たということはここがオーストラリアであることは当然知っているはずである。シドニーがどこにあるかと聞かれても質問の真意が分からないのでボブは困った。しかし、老人を無碍にするわけにも行かない。

「シドニーはニュー・サウス・ウェールズ州にあります。」

ボブは答えた。すると花子は、

「ニュー・サウス・ウェールズ州はどこにあるのですか。」

と聞いた。ニュー・サウス・ウェールズ州はオーストラリアの東部にある。でも花子はそんなことを聞いているのではないとボブは気付いた。

「ニュー・サウス・ウェールズ州はオーストラリアにあります。」

花子は暫く黙った。考えている様子である。

「ここはオーストラリアなのですか。」

花子は立ち上がって周囲を見回した。

「ボブさん。オーストラリアはどこにあるのですか。」

「花子さんはオーストラリアがどこにあるか知らないのですか。」

「うすうすは知っているのですが、はっきりと知っているかといえばそうではありません。」

ボブは花子は老人であるために記憶が薄れているのだと思った。ひょっとするとアルツハイマー病になっているのかも知れない。ボブは子供に教える気持ちで花子にオーストラリアがどこにあるかを説明した。

「オーストラリアは日本のずーっと南の方にあります。」

「オーストラリアは日本のずーっと南の方にあるのですか。」

「そうです。台湾、フィリピン、インドネシアを過ぎてオーストラリアがあります。」

「赤道の下にある蟹の形をしているのがオーストラリアですよね。」

「そうです花子さん。そこがオーストラリアです。」

「メルボリン、シドニー・・・・・」

「オーストラリアをよく知っているではないですか。花子さんは知らない振りをしていたのですか。」

「世界地図のオーストラリアは知っています。でも、ここに立っていて回りの風景を見てもここが世界地図のオーストラリアとうまくつながっていませんでした。ここがアメリカでもインドでもアフリカでもいいではありませんか。ここがオーストラリアであるという証拠はないですもの。空港の風景は他の空港の風景と同じ。街のビルディングは他の国の街のビルディングと同じ、道路は黒い色。もう、みんな同じ。」

だから誰かと話すことによってしかここがオーストラリアであるという確信を得ることはできません。ここがオーストラリアであるということを信じることができるにはここがオーストラリアであると信じている人にここがオーストラリアであるということを確信に満ちた気持ちで話してもらわなくてはなりません。私はボブさんがここはインドだと信じてしまいます。ここがアフリカですとボブさんが言えば私は満ちた説明をするとここはインドですと確信にここはアフリカであると信じてしまいます。ここがオーストラリアであるということはなんとなく感じていましたが確信はありませんでした。ここがオーストラリアであると誰かがはっきりと自信に満ちて言ってくれないと私はここがオーストラリアであるということに確信は持てませんでした。ボブさんと話してここがオーストラリアであるということに迷いがなくなりました。頭に浮かんだ蟹の形をしたオーストラリアの中に私が居るという感情を持つことができました。ありがとうございますボブさん。」

花子の顔が明るくなった。やっと花子のイメージに世界地図が描かれ、シドニーの位置を思い出し、シドニーから左に数センチ移動した場所に居るイメージがおぼろげに浮かび、世界地図のオーストラリアの中に自分が居る場所を入れることができた。

「ここはオーストラリアなのですね。」

花子はオーストラリアの空気を胸いっぱい吸った。ボブは子供のような花子を微笑ましく思って花子を見た。花子はオーストラリアの風景を味わうようにベンチの周りをゆっくりと歩いた。

ボブは花子からマリーの方に目を移して驚いた。マリーは孝一郎のノートパソコンを自分の膝に乗せて嬉々としてパソコンを操作している。孝一郎はマリーが操作しやすいようにパソコンの画面を日本語版から英語版に切り替えていた。マリーは画面上の東証平均株価、TOPIX、ナスダック、ドル為替、ユーロ為替の表示について孝一郎から習った。中央には指定した会社のリアルタイム株価が表示され、売り買い状況の推移も分かる。過去三ヶ月の株価の推移もキーを打って表示させることができる。マリーはパソコン操作には慣れていたから孝一郎から画面の説明を聞くと直ぐにインターネット株売買の操作を覚えた。マリーはゲームをするようにインターネット株売買を始めた。

「コーさん。ソフトバンクの株を買っていいかしら。お願い。買わせて。2870円まで落ちているからきっと明日は高くなると思うわ。ねえ、お願い。買わせてコーさん。」

孝一郎は苦笑いしながら頷いた。マリーはインターネット株売買を手際よく操作して、ソフトバンクの株を100株2870円で買った。

「マリーさん。すまないが2880円で一株信用売りをしてくれ。」

「それではコーさん。1，000円の損になります。」

「いやいやそうでもない。明日、株が上昇傾向にあるなら早めに信用売りの株を売って、後で買った株を売れば儲けるし、下降傾向になったら早めに買った株を売って後で信用売りした株を買い戻せばいい。ソフトバンクはAUを買収したために莫大な負債を抱えることになった。だから先が読めないのだ。先が読めない時は信用売り株を持っていた方が無難なのだ。」

「素晴らしい考えですわ。絶対に儲ける方法ですね。」

孝一郎は目が爛々と輝いているマリーに苦笑いした。

「いやいや、マリーさん。読みを間違えると逆に損をする。株の売買はなかなかうまくいかないものだよ。」

マリーは孝一郎の話を聞き流しながら、

「日本通信も買った方がいいと思います。買っていいですか。」

「いや、その株はヘラクレス株だから、信用売りができない。明日上がるという保障がないから買わない方がいい。」

「でも、今日はストップ安ですよ。きっと明日は今日の反動で上がるはずです。」

「今ヘラクレス株は売り傾向にあるのです。ベンチャー企業株は叩き売りされています。そろそろ底だとは思いますが。明日が底なのかどうか判断はできません。」

「それではアーバンはどう。アーバンは買い時ではないですか。」

マリーは次から次へと買いたい株を口に出した。孝一郎は嫌がる様子もなくマリーの買いたい株が買うわけには行かない時はその理由を言って買ってもいい株はマリーに買わせた。東証一部の信用売買ができる株を買う時は信用買いと信用売りを組み合わせる条件で株を買った。マリーはますますインターネット株売買に夢中になっていった。

「マリー。止めろ。」

ボブが厳しい声で言った。

　ボブの怒った声は耳の鼓膜を破るほどに大きい声だったから孝一郎は驚いてベンチからずり落ちそうになった。しかし、マリーはパソコンのモニターを見ながら株の売買に夢中になっていてボブの声が聞こえなかった。

「コーさん。新日鉄を買いましょう。それともエフエンドエムがいいかな。」

ボブはマリーに接近して、

「マリー。」

と怒鳴った。

「あら、ボブ。どうしたの。」

「止めるんだ。」

「え、なにを止めるの。」

「パソコン操作するのを止めるんだ。」

「パソコン？私はパソコンなんか操作していないわ。」

「マリーの膝の上にあるのは何だ。」

マリーは膝の上にパソコンがあるのに気づいて驚いた。

「あら、まあ。パソコンだわ。どうしてパソコンが私の膝の上にあるのかしら。」

「よくも白々しいことをいう。パソコン中毒症のくせに。一週間の有給休暇をとって、なんのために二人で徒歩旅行に出たと思っているんだ。有給休暇は三人の子供と一緒に家族全員で旅行をするために取るのが当然であるのにだ。今度の旅行は子供達をママに預けてマリーと二人だけで徒歩旅行に出た。その理由をマリーは忘れたのか。今度の旅行の目的を思い出せ。夫婦とはなにか家族とはなにかということを二人で考え直すために夫婦だけの徒歩旅行に出たのを忘れたのか。そうだろうマリー。君がパソコン中毒になったために家庭は滅茶苦茶になってしまったことを忘れたのか。」

「そうだったわ。ごめんなさい、ボブ。」

マリーは泣きそうになりながらボブに謝った。しかし、マリーの手はしっかりとパソコンを掴んでいた。

「パソコンを孝一郎さんに返しなさい。」

ボブに言われてマリーは自分の手がパソコンを掴んでいることに気づいた。

「早く返しなさい。」

「は、はい。」

とマリーは言ったがマリーの手は硬直して動かなかった。

「マリー。」

ボブの激しい声にマリーの体はびくっと震えた。

「コーさん。パソコンをお返しします。」

パソコンを孝一郎に返そうとしたが、マリーの体は硬直したまま動かず、手はパソコンを固く掴んで離そうとしなかった。

つづく

２０２１年５月発行
沖縄 日本 アジア 世界 内なる民主主義２６
定価１２９５円(消費税抜き)

著作・編集・発行　又吉康隆
発行所　ヒジャイ出版
〒９０４-０３１３
沖縄県中頭郡読谷村字大湾７７２-３
電話　０９８-９５６-１３２０
印刷所　印刷通販プリントパック
ISBN978-4-905100-39-3
C0036

著作　又吉康隆
１９４８年４月２日生まれ。沖縄県読谷村出身。

小説

マリーの館　１３８０円(税抜き)
一九七一Ｍの死１１００円(税抜き)
ジュゴンを　食べた話　１５００円(税抜き)
バーデスの五日間
上巻１３００円(税抜)下巻１２００円(税抜)
おっかあを殺したのは俺じゃねえ１３５０円(税抜)
台風十八号とミサイル　１４５０円(税抜き)

評論

沖縄に内なる民主主義はあるか　１５００円(税抜)
少女慰安婦像は韓国の恥である　１３００円(税抜)
捻じ曲げられた辺野古の真実　１５３０円(税抜き)
沖縄革新に未来はあるか　１３００円(税抜き))
あなたたち沖縄をもてあそぶなよ　１３５０円(税抜き)

県内取次店　沖縄教販
ＴＥＬ　０９８-８６８-４１７０
ＦＡＸ　０９８-８６１-５４９９
本土取次店　(株)地方小出版流通センター
ＴＥＬ　０３-３２６０-０３５５
ＦＡＸ　０３-３２３５-６１８２